Екатерина Вильмонт

Интеллигент и две Риты

АСТ

Москва

УДК 821.161.1
ББК 84 (2Рос=Рус)6
В46

Вильмонт, Екатерина Николаевна

В46   Интеллигент и две Риты / Екатерина Вильмонт. —
Москва: АСТ, 2015. — 317, [3] с.

ISBN 978-5-17-087931-1 (Романы Екатерины Вильмонт)
Разработка серии дизайн-студия «Графит»
Дизайнер — Екатерина Ферез
В оформлении используется картина Пьера Огюста
Ренуара «В саду (Столик под деревьями
в «Мулен де ла Галетт»), 1876

Иной раз жизнь напоминает вязание. Одно неверное
движение, и ниточки ползут, глядишь, и они уже запутались...
Так случилось и в жизни профессора Тверитинова. Прошлое,
настоящее — все спуталось, стянулось в тугой узел. Сумеет ли
он его распутать?..

В этой книге впервые выходит роман «Интеллигент и две
Риты» и рассказы из цикла «Москва. Самотека».

УДК 821.161.1
ББК 84 (2Рос=Рус)6

Роман

ИНТЕЛЛИГЕНТ

и

ДВЕ РИТЫ

Часть

1

Наши дни

— Захарушка, — встретил его дед, — звонила твоя мамаша.

— И что ей вдруг понадобилось? — скидывая с ног туфли, недовольно спросил Захар.

— Умер ее муж...

— А я тут при чем?

— Она хочет, чтобы ты приехал на похороны.

— Да с какой стати? Я его в глаза никогда не видел. И времени у меня нет. Кроме того, там, кажется, хоронят на следующий день, мне все равно не успеть.

— Захар, так не годится, она все-таки твоя мать.

— Да какая она мне мать? Это ты, дед, мне и мать и отец...

Захар надел тапочки и поцеловал деда в седую макушку.

— Я голоден, как...

— Идем на кухню, только руки помой! Вера Борисовна сварила сегодня восхитительный рассольник!

— Рассольник это хорошо! Дед, посиди со мной, а ты-то будешь ужинать?

— Нет, я же нормально обедал, я выпью чаю, в моем возрасте переедать не стоит.

— Ну, дед, рассказывай, что ты нынче делал?

— Нет, Захар, ты все-таки должен поехать к матери! Ей плохо, и она зовет тебя... Нехорошо, не по-человечески. Да, она плохая мать, но не надо ей уподобляться. Ты как-никак вырос не на улице, не в детском доме, у тебя был хороший отец, бабка с дедом, любви тебе хватало. А злость и мстительность тебе не к лицу, мой мальчик.

— Дед, ты и вправду считаешь, что я должен поехать?

— Разумеется, иначе не говорил бы.

— Я не уверен, что смогу достаточно убедительно сыграть роль хорошего сына.

— Да не надо ничего играть. Просто побудь с ней. Она нуждается в тебе, раз позвонила. Узнай, может, ей нужна какая-то помощь. Ей все-таки уже за шестьдесят, она потеряла мужа, по-видимому, любимого...

— Да нет, скорее любящего, это ей куда важнее.

— Мальчик мой, нас с тобой это совершенно не касается. Но поехать ты должен. Хотя бы на три-четыре дня. Вот поешь, выпей чаю и позвони ей. Я настаиваю!

— Ну, если ты настаиваешь...

— Вот, это ее телефон. Я записал.

— Класс! Если б не овдовела, я бы ее и не нашел, — хмыкнул Захар.

— Ах, в наше время человека найти совсем не трудно. Эти компьютеры... Короче, звони и не накручивай себя. Помни, она как-никак произвела тебя на свет.

— Чтобы иметь детей, кому ума недоставало!

— Захар!

— Ладно, дед! Алло, Инга Вячесла-вовна?

— Захар! Как тебе не стыдно! Почему ты зовешь меня по имени-отчеству? Я все-таки твоя мать и я убита горем! Да, я очень виновата перед тобой, но сейчас, в такой момент, ты мог бы и забыть об этом. А впрочем, неважно. Когда ты приедешь, сынок?

— Я приеду, но не раньше пятницы, и еще не факт, что достану билет. И гостиницу.

— Какая гостиница? Зачем? У меня большой дом.

— Нет, благодарю, я предпочитаю гос-тиницу. Всегда и во всех случаях. Я не очень понимаю, зачем я понадобился, однако дед считает, что я обязан...

— Твой дед святой человек!

— Что верно, то верно. Короче, я при-лечу, как только смогу. Сейчас же займусь билетом и отелем. Как только что-то прояс-нится, я сообщу по электронной почте. При-ношу свои соболезнования.

И он повесил трубку.

Дед огорченно качал головой.

— Мальчик, ну нельзя же так... Ты говорил с ней... непозволительно... по крайней мере, в такой ситуации...

— Я знаю. Но ничего не могу с собой поделать. Как услышал этот пафосно-скорбный тон...

— Бог тебе судья. Но хорошо хотя бы то, что ты все же согласился поехать.

Захар сел к компьютеру, и через сорок минут у него уже был забронирован номер и заказан билет на самолет. Он созвонился со своим заместителем и сообщил, что с пятницы до среды его не будет. В конце концов, мало ли что там может выясниться, да и гостиница, как он понял, в двух шагах от моря...

И сразу написал матери: «Мама, я прилетаю в ночь с четверга на пятницу, встречать не нужно. Утром позвоню». Набрать слово «мама» было в сто раз легче, чем произнести вслух. Язык не поворачивался.

— Ну все, дед, ты доволен?

— Да.

— Вот и славно.

...В вагон аэроэкспресса вошла девушка. При виде ее у Захара возникло ощущение, что она светится. От нее в буквальном смысле исходило сияние. Она счастлива, подумал он. И влюблена по уши. И наверняка летит к любимому или вместе с ним. Они встретятся в Домодедове и вместе полетят куда-то... Или он ждет ее где-то, и при виде любимого человека это сияние станет уж совсем нестерпимым для постороннего глаза. Хотелось бы взглянуть на этого счастливца. Девушка везла за собой чемодан на колесиках и прошла в другой вагон. Захар даже перевел дух. Надо же, какая... Я даже не понял, красивая ли она, или счастье сделало ее красивой? А впрочем, бог с ней. Хороша Маша, да не наша. И он достал из сумки научный журнал.

Месяц назад, когда он прилетел из Берлина, ему показалось, что в Домодедове просто ад — дикие очереди на паспортный контроль, кошмарная толкотня у транспортеров с багажом, он тогда еще порадовался, что летает с одной небольшой сумкой. А сегодня, несмотря на докучные расспросы представителей израильской авиакомпании, все прошло четко и быстро. И на паспортном контроле народу не было. И в ирландском баре сразу нашелся свободный столик. Настроение резко улучшилось. Он заказал сэндвич с ростбифом, виски со льдом и кофе. Его быстро обслужили, ростбиф оказался отличным. А может, все не так уж и плохо? В конце концов, вырваться из дождливой промозглой Москвы в солнечный Израиль, к теплому морю, тем более что никогда раньше в Израиле не был, совсем не так плохо. По крайней мере совесть будет чиста — он отозвался на зов матери... Так называемой матери, поправил он сам себя. Да Бог с ней, отдам, что называется, сыновний долг, но зато поплаваю в Средиземном море, погреюсь на солнышке, съезжу в Иерусалим, давно хотел, но все никак... Думаю, двух часов в день для Инги Вячеславовны будет достаточно. А остальное время мое!

Он пошел бродить по аэропорту. Заглянул в дьюти-фри. Купил бутылку виски и

крем для бритья, хотя терпеть не мог бриться. Вовсю пользовался модой на трехднев-
ную щетину. Дед, правда, сердился, говорил, что приличный мужчина должен бриться ежедневно, а в некоторых случаях и
дважды в день. Дед был образцом джентль-
мена. Он и сейчас каждое утро брился,
что безмерно восхищало их домработницу
Веру Борисовну, она всегда говорила Захару:

— Ваш дедушка самый лучший человек
из всех, кого я знала.

Захар неизменно с ней соглашался.

И вдруг у входа в накопитель он увидел
ту девушку. Ее сияние несколько поблекло.
Рядом никого не наблюдалось. Она то и
дело оглядывалась, словно ждала кого-то.
Теперь было видно, что девушке уже под
тридцать, она недурна собой, но не более
того. Стало жалко ее. Что за скотина этот
ее мужик! Заставлять ждать и волноваться
девушку, которая так светится от любви к
нему. У меня таких не было. Или дело во
мне? Это я не вдохновляю девушек на такое
сияние? Да ну, нашел о чем думать! Какое

мне дело до девушки с ее хахалем? И он опять углубился в свой журнал. Но вдруг в свободное кресло рядом с ним буквально кто-то упал. Это была та девушка. Она сидела, закрыв лицо руками. И вдруг обратилась к нему:

— Скажите, а как мне теперь быть? Как получить обратно чемодан?

— Какой чемодан? — растерялся Захар.

— Ну, я сдала чемодан, но я... я не могу лететь.

По ее лицу катились крупные слезы, хотя она вроде бы и не плакала.

— Это надо спросить у служащих...

— Да-да, простите... — Она попыталась встать, и тут же упала в кресло.

— Вам плохо? — участливо спросил Захар. — Я сейчас узнаю.

— Спасибо вам большое.

Но в этот момент у входа в накопитель что-то случилось, все служащие кинулись туда, возникла сутолока, кто-то что-то кричал, а на табло появилась надпись, что рейс в Тель-Авив задерживается на час.

— Не волнуйтесь, успеете получить ваш чемодан. Простите, у вас что-то случилось?

Она подняла на него глаза.

— Да. Меня бросил человек, которого я любила. Только и всего. Но это конец...

— Что значит конец? Вы молоды, хороши собой...

— Ах, а зачем жить... Ладно, я набитая дура. И черт с ним, с чемоданом... Пусть летит без меня. Теперь вообще все будет без меня...

Она попыталась встать, но опять рухнула в кресло.

— Ноги не слушаются. Вы не поможете мне встать?

— Нет, — резко ответил он.

— Но почему? — удивилась она.

— Вот хорошо, вы удивились. А теперь скажите, куда вы летите?

— Уже никуда.

— Почему? Потому что какой-то абсолютный идиот не пожелал лететь вместе с вами? У вас что или кто в Тель-Авиве?

— Никто. И ничто.

— У вас забронирован отель, куплена путевка?

— Отель.

— Ваучер на отель у вас?

— Да. Но...

— У вас есть хоть какие-то деньги?

— Какие-то есть... Но я...

— Никаких возражений! Вы летите в лето, к солнцу, теплому морю. И там, а не в московской слякоти, поразмыслите над тем, как вам жить дальше.

— А... А почему... Какое вам до меня дело?

— А меня так воспитали. Может, слыхали, когда-то бытовал такой лозунг — чужого горя не бывает.

— То есть, вы...

— Нет, я не мать Тереза, я просто видел людей, которые от отчаяния делали жуткие глупости, и если я могу удержать человека от этой глупости, я пытаюсь это сделать.

— И вы считаете, что мне надо лететь?

Судя по ее тону, удивление от его слов пересилило все остальные эмоции.

— Да, безусловно, — очень твердо ответил Захар. — Для вас сейчас это проще всего. Вы подчиняетесь ритму, заданному режимом авиаперелета. А в Тель-Авиве я в аэропорту возьму напрокат машину и отвезу вас в отель. А утром вы проснетесь с другим ощущением жизни...

— Вы психолог?

— Отнюдь. Биофизик.

— Вы хороший человек... Ой, а как вас зовут?

— Захар. А вас?

— Рита. Маргарита.

— Скажите, Рита, а ваш отель, он в Тель-Авиве? А то, может, я погорячился, обещая отвезти вас. Вы не в Эйлат собрались?

— Нет, в Тель-Авив. Отель «Дан».

И снова слезы побежали по ее щекам.

— Нет, я, наверное, не смогу... Я так мечтала... Вдвоем... мне казалось... Он столько говорил, как мы там будем... Нет, я не полечу, простите, Захар... Я пойду...

— Рассказывайте!

— Что?

— Что сможете! Считайте, что мы вагонные попутчики. Им можно все вывалить... Шанс встретиться еще раз ничтожен. Обещаю, я отвезу вас в отель и оставлю в покое.

— Зачем вам это?

— Мне? Незачем. Это нужно вам! Рассказывайте!

— Я не знаю... нет, я не могу...

— Хорошо, тогда вот, съешьте шоколадку. — Он достал из сумки небольшую плитку шоколада.

— Спасибо, не хочется.

— А вы через не хочу.

Он отломил половинку шоколадки.

— Вы обязаны это съесть. Это лекарство.

— От любви? — грустно улыбнулась она.

— И от любви тоже, — без улыбки ответил он.

— Попробую... Вдруг поможет.

Она откусила кусочек.

— Вкусно. Только вкус странный какой-то, как будто с перцем...

— Нет, с имбирем.

— Да? Я не знала, что такой бывает.

— Ешьте, ешьте.

— Спасибо.

Она и в самом деле съела свою половинку.

— Вот молодец! А это, — он протянул ей оставшуюся половинку в фольге, — спрячьте в сумку. Пригодится.

— Спасибо.

И тут объявили посадку.

Их места оказались в одном ряду, но через проход. И на место рядом с ней села какая-то пожилая женщина. Ну и сволочь же ее мужик, успел сдать билет. Значит, заранее все продумал. Ему зачем-то надо было убрать ее из Москвы...

Захар увидел, что Рита в отчаянии закрыла лицо руками. Значит, ей в голову пришла та же мысль. Бедная девочка. Он встал, пропуская на соседнее место толстого мужчину с рюкзаком. И пока тот упихивал рюкзак под переднее кресло, Захар наклонился к Рите и прошептал:

— Скажите спасибо, что избавились от подлеца.

Она взглянула на него с таким изумлением, будто увидела впервые.

— Держитесь. Завтра будет легче. И пристегнитесь.

— Да, да...

Он сел, пристегнулся и открыл свой журнал.

Но время от времени поглядывал на Риту. Она сидела бледная, с закрытыми глазами. Жалко ее, нет сил. Сейчас даже вообразить невозможно, как эта женщина светилась счастьем несколько часов назад. Интересно, если б я не видел ее в этом волшебном сиянии, стал бы я ей помогать? Если бы она не села со мной рядом, вряд ли... Но даже если бы я не видел ее сияющей, а она села бы рядом, все равно стал бы... Там была такая концентрация горя, мимо которого пройти нормальный человек просто не может...

Когда стали разносить еду, Рита категорически отказалась, но Захар по-английски сказал стюардессе, чтобы все-таки поставила перед Ритой подносик с авиаужином.

— Рита, хоть поковыряйте что-нибудь, глядишь, и понравится что-то. Кексик, похоже, вкусный.

Он говорил так властно, что она подчинилась, сняла крышечку с горячего блюда, понюхала, ковырнула вилкой и стала есть.

Жить будет, удовлетворенно подумал Захар. С ней только нельзя миндальничать. Заботы о Рите отвлекли его от мыслей о предстоящей встрече с матерью, которая ничего кроме раздражения у него не вызывала.

Когда-то

Инга Зерчанинова была красавицей. И хорошо это знала. И люто ненавидела свой заштатный уральский городишко. Что ее там ждет? Убогая нищая жизнь, как у ее матери. Мать тоже была красива, но во что превратилась к сорока годам? Но у матери не было никаких амбиций. Она еще в школе влюбилась в соседа, молодого технолога с трубопрокатного завода. Вышла за него замуж, родила четверых детей, правда, один ребенок умер в возрасте двух лет. Инга была младшей. Отец ее обожал. Их семья считалась в городе чуть ли не образцовой. Отец, Вячеслав Иванович, почти не пил, на заводе был на хорошем счету. Мама, Елизавета Игнатьевна, работала медсестрой на том же заводе. Не буду я так жить! Не желаю! Я буду артисткой! После школы она хотела податься сразу в Москву, но отец потребовал, чтобы она сперва поступила в театральное училище в Свердловске. Все-таки ближе к дому. Там дочка будет под каким-никаким присмотром — в Свердловске жила ее родная тетка по матери.

— И всяко лучше у родных жить, чем в общежитии! — рассудила мать.

Но Ингу в училище не взяли.

— Все, дочка, кончай дурью маяться, не выйдет из тебя артистки. Поступай-ка в политех.

— Нет, папа, я буду артисткой! Просто тут не понимают... А в Москве знаешь, сколько театральных институтов, уж в какой-нибудь да возьмут! А еще есть киношный институт...

— А тебе не жить не быть в артистки выбиться? А вдруг у тебя таланта нет?

— Есть, папочка, есть, я чувствую!

— Ладно, попытайся! — развел руками отец. — Вдруг да прославишь нашу фамилию.

Родители собрали ее в дорогу и посадили в поезд Серов—Москва.

В поезде она познакомилась с молодым геологом, парень вскружил ей голову, наобещал с три короба и с вокзала повез к себе. Он жил один в крохотной однушке у станции метро «Молодежная». Москва ошеломила Ингу. Парня звали Виктор, он оказался вполне приличным человеком, показал ей город, за ручку отвел в школу-студию МХАТ, Щепку, Щуку и ГИТИС, куда ее в результате и приняли, на отделение музыкальной комедии. В своем городишке она ходила а музыкальную школу, и у нее был неплохой голосок. Счастью не было пределов. Впереди московская жизнь, театральная карьера и, вдобавок, перспективный парень. Он собирался защищать кандидатскую. И даже общежитие ей не понадобилось. Правда, Виктор не звал ее замуж, но это еще успеется, решила Инга, жадно вбирая все, чему ее учили, и все, что видела вокруг. А вокруг она видела всякое. Вот, к примеру, сокурсница Лена Орлецкая, с виду, можно сказать, замухрышка, а в нее были влюблены все лучшие парни в институте, и не только первокурсники. А яркая красота Инги их как-то отпугивала, что ли... Зато на нее явно положил глаз немолодой преподаватель актерского мастерства. Но она считала его безнадежным стариком, хотя ему было всего-то тридцать шесть.

Так шло время, она уже перешла на третий курс. Виктор защитил диссертацию и на банкет по этому случаю взял с собой Ингу. Деньги на банкет прислали родители Виктора, жившие во Владивостоке. И еще прислали денег отдельно для Инги, на новое платье. В прошлом году они были в Москве, и красавица Инга очень им понравилась. Она умела нравиться, если хотела.

— Вить, я не пойду на банкет! — заявила она.

— Почему это?

— А в качестве кого я там буду светиться?

— В качестве моей девушки.

— То есть в качестве твоей подстилки?

— Что за глупость? Это все-таки Москва, а не твой Задрищенск! — рассердился он.

— Но ты же взял к себе в дом девушку из Задрищенска...

— Тебе необходим штамп в паспорте?

— Да!

— Хорошо. Завтра утром пойдем и подадим заявление, — пожал плечами Виктор. Он все-таки любил эту красавицу. — В качестве невесты прийти на банкет ты в состоянии?

— Ой, Витечка, я так тебя люблю! — возликовала Инга.

— Только ведь завтра утром никак не получится в ЗАГС...

— Почему?

— Так защита же... Некогда будет. Но на следующей неделе — железно!

— Ну хорошо... — скрепя сердце ответила Инга. Ей так хотелось надеть новое платье, купленное у одной девчонки с театроведческого, которой отец привез его из Австрии, а оно оказалось мало. Зато на Инге сидело как влитое. Она не пошла на защиту. Что она там понимает в этой его геологии? Пришла, когда все уже поздравляли Виктора с удачной защитой. При виде ее он ошалел.

— Ну ты и выглядишь... Королева...

Она обняла его на глазах у всех, поцеловала, поздравила.

— Друзья мои, прошу любить и жаловать, это Инга, моя невеста!

Она просияла. Он сдержал слово. Банкет был заказан в небольшом, вполне задрипанном советском кафе, но по случаю праздника его очень мило и даже уютно украсили. А Инге так и вовсе показалось, что там просто роскошно. И вдруг она заметила, что с нее не сводит глаз один мужчина. Не старый, лет тридцати, как и Виктор, одетый во все заграничное и очень даже приглядный. Она смутилась. Чего он так откровенно на нее пялится, и не стыдно ему? Он ведь слышал, что Виктор аттестовал ее своей невестой.

— Валя, а кто это? — спросила она шепотом у жены лучшего Витиного друга Сергея.

— Это? Леша Тверитинов, большой ученый, сын академика Тверитинова... — с завистливой усмешкой сообщила Валя. —

Они с Витей в одном классе учились. Он биолог. И папашка у него тоже биолог, чуть было Нобелевку не огреб. Хорош, верно?

— Да ну... Нахальный какой-то...

— И есть с чего! Виктор твой еще только кандидатскую защитил, а у Лешки уже докторская на подходе! И вообще перспективный товарищ... Еще бы, с таким папой...

— Ну и пусть! — огорчилась Инга. — Зато Витя сам, без папочки свою кандидатскую защитил!

А когда уже начались танцы, куда ж без них, Тверитинов пригласил Ингу.

Танцевал он хорошо, музыку слышал, а Витя вовсе умел только топтаться на месте.

— Вы здорово танцуете, — не удержалась Инга.

— А ты здорово красивая! Говорят, в артистки метишь?

— Учусь.

— В кино еще не звали?

— Нет.

— А хотелось бы?

— А вы что, кинорежиссер?

— Нет. Но у меня друзья есть в этом мире. Могу познакомить...

— Ага, знаю я эти дела! Познакомите с каким-нибудь прохиндеем... Думаете, я такая глупенькая? Дурочка с переулочка? А потом что? Аборт?

— О, какое знание жизни! — засмеялся Тверитинов. — А что, уже такое было?

— Да вы что! Я, если хотите знать, замуж выхожу!

— Да выходи! Как говорится, была бы честь предложена, не волнуйся!

Он отвел ее к Виктору, а вскоре и вовсе ушел.

В самом деле через несколько дней Инга с Виктором подали заявление. А вскоре Виктор объявил:

— Ингуля, мы с тобой в субботу идем на день рождения к Лешке Тверитинову.

Инге вдруг стало страшно, а почему она и сама не знала.

— А что дарить будем? — поинтересовалась она.

— Есть у меня для него подарок! — засмеялся Виктор.

— А какой?

— Да Лешка воблу до смерти любит, а мне тут Серега целый ящик из Астрахани припер.

— Да кто ж такие вещи дарит? — возмутилась Инга. — Стыдоба просто!

— Ничего ты не понимаешь! Самое оно! Это такой дефицит даже для академиков! Не волнуйся, Ингуля, все нормально!

Ну что ж, решила Инга, в конце концов, Виктору виднее. А вот что надеть в такие гости?

— Валя, — позвонила она подружке. — Слушай: твой совет нужен. Нас к Тверитинову позвали...

— Шикарно!

— Слушай, я не знаю, что надеть...

— Так у тебя ж синее платье отпадное.

— Да я в нем на защите была...

— Ну и что?

— Как-то неохота...

— Поняла. Дам бесплатный совет — поясок надень... Или шарфик. Ни одна

33

собака не опознает... На защите другая публика была, и, как говорит моя тетка, даю гарантику, что из баб у Лешки никого не будет...

— Как это?

— Я имею в виду, что тех баб, что на защите были.

— А! Это хорошо... — обрадовалась Инга.

Ей ужасно хотелось пойти в гости. Она никогда еще не бывала в квартирах академиков! И потом, может, и не обманул Тверитинов, может, будут там какие-то киношники... Я ведь такая везучая — ехала в Москву, чужую, огромную, в ту, которая слезам не верит, готовилась на вокзалах ночевать, а мне в поезде Виктор встретился, сразу к себе привез, а теперь вот у меня скоро муж будет — кандидат наук! Это же уму непостижимо! И в ГИТИС я поступила; так чем черт не шутит, может, и в кино возьмут. С такой-то внешностью обязательно возьмут... Фигурка — что надо, талия, бедра, ноги, грудь — просто Голливуд! И лицо — глаза синие, большие, носик точеный, зубы как на подбор, без единого изъяна. Виктор все удивляется, как это я такая выросла рядом с трубопрокатным заводом... А вот выросла же! И говорят, я самая красивая девушка в ГИТИСе. Но все почему-то носятся с Ленкой Орлецкой, а что в ней? Замухрыга замухрыгой... А вот поди ж ты! Талант большой, говорят. Так и у меня талант есть, не зря ж меня в институт-то приняли, без всякого, между прочим, блата...

В субботу она с утра выгладила костюм и рубашку Виктора, начистила его ботинки, сам он это все терпеть не мог, вечно ходил в ковбойках... Накрутила на бигуди свои золотые волосы, наложила на лицо макияж, как учили, — чтобы все достоинства подчеркнуть, а недостатки скрыть. Только не было у нее никаких недостатков. Надела синее платье, попыталась чем-то его украсить, но все только портило его. Ну была я в этом платье на защите, подумаешь, большое дело! Я ж пока не кинозвезда, мне можно в одном и том же... А заграничное платье само за себя говорит и фигуру здорово подчеркивает. Да, не зря я за него столько денег отвалила!

— Ох, какая ж ты у меня красавица! — привычно восхитился Виктор и обнял ее.

— Витя, помнешь все, — высвободилась она.

— Думаю, ты там произведешь фурор! Эй, а что это за коробка?

— Да вобла твоя дурацкая! Я ее в божеский вид привела, не нести же эту коробку драную...

В самом деле, она купила в писчебумажном зеленую гофрированную бумагу, завернула в нее весьма неприглядную коробку, да еще сделала два бумажных цветка и прикрепила сверху.

— Ну, ты даешь! — расхохотался Виктор. — Ты только знаешь что... — слегка замялся он. — Там публика такая, с юмором... Они будут потешаться... Ты не обижайся, ладно?

— Над чем они потешаться будут? Над твоей вонючей воблой?

— Нет, над воблой как раз не будут, а вот над бантиками твоими... могут. Так ты посмейся с ними вместе, это, мол, шутка такая...

— Вить, а ты, что ли меня стесняешься?

— Что за глупости! Просто компании разные бывают. Не хочу, чтобы ты себя неловко чувствовала.

— Ладно, поняла, — сказала Инга, а сама подумала: это он заливает, сам небось застеснялся своего дурацкого подарка.

Однако подарок привел в восторг всю разношерстную компанию, а на упаковку просто никто внимания не обратил. Оказалось, что один из друзей Лешки добыл два ящика чешского пива, тоже дефицит будь здоров, и веселье пошло... Пока с воблой и пивом не расправились, никто не обращал внимания на шикарно накрытый стол. Расстелили на просторной кухне газеты, уселись на пол и стали лупить воблой кто по подоконнику, кто по полу, кто по холодильнику, и девчонки тоже. Словом, сплошное свинство...

— Инга, а ты чего? — удивился Леша. — Садись с нами!

— Да нет, спасибо, я воблу не люблю, и пиво тоже... — поджала губы Инга. И пошла в комнату. Не рассказывать же им, этим богатеньким деткам, как в родном городишке ее до печенок достало уже пьяное свинство.

— Что, милая, не нравится тебе это безобразие?

Инга обернулась, в коридоре стояла невысокая аккуратная старушка, уютная, похожая на Ингину бабушку.

— Не нравится, — кивнула Инга.

— Ничего, девонька, они сейчас свое пиво-то вылакают, что им эти бутылочки, на один зуб. А потом уж нормально за стол сядут. А ты чья же, девонька, будешь? Что-то я раньше тебя тут не видала?

— А я невеста Виктора Железнова, меня Ингой звать.

— Да, я слыхала, Лешка говорил, что у Витюшки невеста красавица. Не соврал. А Витюшка парень золотой, ты держись за него... Ты сама-то не московская?

— А что, заметно? — огорчилась Инга.

— Ну по одежке и не скажешь, а так... Но это хорошо, я вот мечтаю, чтобы Лешка наш на такой девушке женился. А то ходят тут эти девки расхристанные, курят, пьют, матом ругаются, кого, скажи на милость, такая родит? А у тебя подружки, такой как ты, нету?

— Да вроде нет... А вы кто?

— А я, девонька, тетка родная Лешкиной мамы, Тамары Васильевны. Она у нас ученая, профессорша. А муж ее, Дмитрий Захарович, большой человек, академик, значит, так им не до мальца было, вот меня в Москву-то и выписали, а я раньше в деревне жила, бедовала, а тут как у Христа за пазухой, своих-то детей Бог не дал, так мне Лешка заместо сынка. И очень охота внучков еще понянчить. А он тоже умнющий парень, скоро доктором наук будет, говорят, а жениться никак не хочет.

— Ой, а как вас зовут?

— Меня-то? Аглая Степановна я.

— А я Инга.

— Инга? Имя какое-то чудно́е...

— Ну, я вообще-то Ирина. Но мама с папой кино заграничное посмотрели. «Колдунья» называется, и решили меня переназвать. Так, когда я паспорт получала, меня Ингой записали, — сама не зная почему, вдруг рассказала она совершенно чужой женщине, хотя даже Виктору об этом не говорила... Странно.

— Вон оно как... Но тебе подходит... А ты работаешь или учишься?

— Учусь. На третьем курсе уже.

— И кем будешь?

— Артисткой.

— Ах ты, господи, артисткой... Слушай, артистка, — перешла на шепот Аглая Степановна, — тут парень один есть, тоже из Лешкиных дружков, так он это... кино снимает...

У Инги замерло сердце.

— Ты ему не верь, он до девок лютый, не одну уж попортил, они дуры, ведутся, мол, он их в кино снимет... а ни одну еще не снял... Ты уж с ним поосторожнее. А то вы, красивые девки, на киношников падкие, а ты тем более на артистку учишься. Черный такой, с усищами, Гришкой звать... Говорят, талант большой, только я про талант не знаю, а что бабник первостатейный, это точно.

И вообще... Не люблю я его. Плохой он человек.

Но тут из кухни повалил народ.

— Аглая Степановна, мы все убрали за собой! — сообщила маленькая девушка в ковбойке и в кедах.

— Спасибо, Люсечка! Витюш, а невеста у тебя — загляденье просто. И хорошая.

— Да знаю! Только вот гордая, не захотела с нами пивка попить.

Виктор обнял Ингу, от него пахло пивом и воблой. Ингу передернуло. Вскоре вся компания сидела за шикарным столом. Всем было весело. Инга сидела рядом с Виктором. А напротив сидел Леша Тверитинов, виновник торжества. И не сводил с Инги глаз. А чуть поодаль от него сидел киношник Гриша с красивыми пышными усами. Он усиленно обхаживал свою соседку, очень худенькую девушку с необычным интересным лицом, но девушка, похоже, никак не реагировала на киношника, что его, по-видимому, здорово заводило, и на Ингу он даже не глядел.

Ничего, я же собираюсь быть артисткой оперетты, в кино мне и не надо сниматься...

Вон, сама Шмыга только раз в кино снялась. Но она тогда уже была Шмыгой! А я еще пока никто.

А потом, когда все уже разбрелись из-за стола, Инга взялась помогать Аглае Степановне убирать посуду. Принеся очередную порцию тарелок в кухню, она увидела, что на балкон вышли Леша и усатый киношник. Что ее подтолкнуло, она и сама не знала, только она юркнула в узкое пространство между открытой балконной дверью и кухонным буфетом, встала за занавеской и прислушалась.

— Ну что, Гриня, обломался? — насмешливо спросил Леша.

— Сегодня обломался, но скоро я ее обломаю, делов-то... Но хороша, зараза, я и вправду хотел ее снять, лицо такое... просто Модильяни...

— Репутация у тебя дурная, дружище, — засмеялся Леша. — А ты не обратил внимания на Ингу?

— Кто такая Инга?

— Она красавица... Как ты мог ее не заметить? К тому же студентка ГИТИСа...

— А, эта синеглазая в синем платье?

— Ага, все-таки приметил!

— Ну, это слишком просто...

— Что просто?

— Неинтересно, друг. Одномерно.

— Не скажи... Она такая... От нее парным молоком пахнет.

— Дурак ты, брат, от нее коровником пахнет, навозом... Ты просто разницы между этими запахами не чуешь. Парное молоко тоже ведь в коровнике получают от коровки-кормилицы. Словом, категорически не мой кадр. И тебе не советую...

— Да она вообще девушка моего старого друга. К тому же уже невеста. А я в такие игры не играю.

— Ну да, всем известно, какой ты порядочный...

Инга стояла ни жива ни мертва. От обиды все свело внутри. От меня навозом пахнет, коровником... И со мной неинтересно, я одномерная, видите ли...

А разговор мужчин между тем продолжался. Хотя она от захлестнувшей ее обиды многое пропустила.

— Леш, а ты чего, запал на эту деревенщину?

— Да нет... Хотя вру. Нравится она мне, здорово нравится... Но женщина друга...

— Это, конечно, аргумент, но... Ей лет двадцать, с Виктором твоим живет... Неинтересно. Нет в ней сексуальной цеплялочки, думаю, и как актриса она полный ноль, поверь, я в таких вещах разбираюсь.

— Может, и так, но, может, просто еще не раскрылась девушка, может, в ней еще такой потенциал обнаружится... Ну, устрой ей хотя бы фотопробу...

— Да тебе-то зачем, если женщина друга, а?

— Да, ты прав... Все. Забудь!

— Это несложно. Уже забыл.

— Гриш, скажи, а правду говорят, что ты вроде на француженке жениться собрался?

— Кто говорит?

— Да все практически.

— Да, друг, слинять хочу, мочи моей тут больше нету. Всякая тварь бездарная во все лезет, указания дает, то нельзя и это не моги, и давят, давят...

— Слушай, а у тебя же столько международных премий...

— Ну и кому они на фиг сдались, мои премии? Две ленты на полку положили, сволочи... Ненавижу! Надо валить, Леха!

— А выпустят?

— А хрен их знает... Но тогда Франсуаза может такой скандал в прессе поднять... А мне это еще и на руку. Буду жертва режима в квадрате. И фильмы мои на экран не пускают, и меня в заложниках держат...

— А ты языки-то знаешь?

— Английский у меня свободный, французский, правда, корявый, но я способный, во Франции за три месяца освою...

— Ты думаешь, тебе там дадут снимать?

— Надеюсь. Да ладно, лучше я там в операторы вернусь, чем тут это дерьмо жрать... ладно, пошли к столу, еще выпить надо!

Инга перевела дух. Ей давно уже нестерпимо хотелось в туалет, но она боялась пошевелиться.

Ах, как же ей понравился туалет в академической квартире. Выложенный зелененьким кафелем, и унитаз тоже зелененький, и маленькая раковинка — руки мыть, и зеленое полотенчико. Эх, видели бы этот туалет мама с бабушкой... А еще там к стене была приделана хромированная корзинка... с газетами. Это чтобы читать! А для другого имелся рулон туалетной бумаги. Мягонькой. Инга такой сроду не видала. В магазинах продавалась туалетная бумага в пачках, квадратиками, жесткая, чтобы ею воспользоваться по назначению, приходилось мять ее в руках. А тут... Выходить не хотелось. Интересно, почему это Виктор ее не хватился еще? Она вышла и отправилась на поиски. И нашла его в кабинете. Он спал крепким сном. Ладно, пусть поспит... И тут появился Леша.

— Что, Инга?

— Да вот, Витя уснул... А нам надо уже...

— Да куда вам надо? Успеете.

— Метро закроют.

— Так на такси можно...

Инга смутилась. Такая роскошь им не по карману. Но Леша сразу понял причину ее замешательства.

— Да к черту такси. Останетесь тут до утра. Места много, не проблема. Да, кстати, ты очень понравилась Аглае Степановне. Вот бы тебе, говорит, Лешка, такую девушку. А я уж и сам думаю — вот бы тебе, Лешка, такую... Нет, мне такую не надо, мне эту надо...

У Инги сердце оборвалось.

— Знаешь что, пошли на балкон, подышим, а?

— Пошли, — кивнула Инга. Леша очень ей нравился. Она думала, он поведет ее на кухонный балкон, а он ввел ее еще в одну комнату, закрыл за собой дверь и вывел на открытый балкон.

— Ох, а сколько ж у вас комнат?

— Пять и еще комната за кухней.

— А народу сколько живет?

— Да сейчас четверо: папа, мама, я и Аглаша.

— Сроду таких квартир не видала!

— Академикам иногда обламываются такие хоромы. Ты не думай, мы не так давно тут живем, я вообще в коммуналке родился. Потом родителям малогабаритку дали в Черемушках, я сперва у бабушки жил, а когда она умерла, мама Аглашу выписала, меня растить. В малогабаритке ютились... — словно бы оправдывался Леша. — Ты не против, если я закурю?

— Нет, кури, пожалуйста.

Он достал из кармана сигареты «Мальборо» — символ шикарной жизни для советского человека.

— Знаешь, у нас один парень тоже все «Мальборо» курил...

— И что?

— У него многие пытались стрельнуть сигаретку, но он никогда не давал.

— Жадный такой?

— Да нет, не в том дело. Просто у него в пачке от «Мальборо» болгарские сигареты были... Это он для понта...

— Дурак, значит, конченый.

— Да, я тоже так думаю.

— Инга... ты... ты невероятно красивая... Невероятно! И я... просто смертельно хочу тебя поцеловать...

Он притянул ее к себе и, поскольку она не отстранилась, поцеловал в губы. Боже, как он целовался! Прямо как Грегори Пек в «Римских каникулах»... И хотя он вместе со всеми пил пиво и ел воблу, но пахло от него каким-то незнакомым одеколоном, дефицитными сигаретами «Мальборо» и какой-то совсем незнакомой, но прекрасной жизнью. Хотелось вдыхать и вдыхать этот запах, он кружил ей голову, а Леша все крепче прижимал ее к себе, она чувствовала, что он не на шутку завелся и уже задрал ей юбку...

— Нет, — твердо сказала она, — пусти! Я так не хочу!

Он отпустил ее.

— Не хочешь или так не хочешь? — уточнил он.

— Так не хочу!

— Понял. Учту! — рассмеялся он.

Но тут раздался громкий голос Виктора:

— Инга, ты где?

— Пока! — бросила она. — Не ходи за мной.

— Витя! Проснулся? Ну, наконец-то!

— Прости, я задрых... Поздно уже, поедем на такси!

— Хорошо! — обрадовалась Инга.

Виктор едва держался на ногах. Алексей пошел их проводить до машины, которую далеко не сразу удалось поймать.

— Инга, ты извини меня...

— Да ладно!

Какой убогой показалась ей их скромная однушка у метро «Молодежная». И Виктор тоже показался каким-то убогим. И мысль о предстоящей свадьбе уже не радовала, а тревожила. Может, не стоит? Виктор через неделю после росписи уедет в поле на целых четыре месяца, и тогда, если Леша как-то проявится, я точно не устою... Как странно, Виктор спит рядом и дышит на нее воблой и пивом, а от Леши такой запах... И я понравилась Аглае Степановне. Я умею нравиться, когда хочу. Но там же есть еще папа-академик и мама-профессор, им такая невестка может не понравиться... Хотя почему? Вот понравилась же я Витиным родителям, а они тоже ученые люди — отец вулканолог, а мать врач. Они от меня в восторге были.

А что, я красивая, молодая, чистюля, готовить умею, они мои пельмени как лопали... И я буду артисткой... Тоже не жук начихал. Нет, папе-академику я, скорее всего, понравлюсь, а вот маме-профессору... Да ну, ерунда, они же обожают своего сына и его выбор должны уважать. Стоп, Ингуля! Кто сказал, что Леша жаждет на тебе жениться? Переспать он с тобой хочет, это да. Этого, между прочим, многие хотят. Выбрось, Ингуля, это все из головы, тебе и так сказочно повезло — ты скоро выходишь замуж за кандидата наук с отдельной квартирой, да большинство девчонок в институте о таком и мечтать не могут, нет, тут надо вспомнить «Сказку о рыбаке и рыбке», чтобы не остаться у разбитого корыта. В чем, в чем, а в благоразумии ей никогда нельзя было отказать. И она уже по-другому стала смотреть на жениха. Это была синица в руках. Но однажды Виктор пришел с работы мрачнее тучи.

— Вить, ты чего?

— Беда, Ингуля! Большое горе!

— Да что стряслось?

— Никита погиб!

Никита Юрышев был близким другом Виктора и коллегой.

— Как?

— Да непонятно еще, что там случилось, но я должен срочно принять партию. Послезавтра рано утром вылетаю в Хабаровск.

— Надолго?

— До поздней осени, я теперь начальник партии.

— А как же... Как же свадьба?

— Ингуля, придется перенести свадьбу-то, дело такое. Ну, не плачь, никуда я от своей девочки не денусь. Как приеду, сразу распишемся, я завтра заеду в ЗАГС с командировочным предписанием, и они все просто отложат, а вовсе не отменят. Назначим свадьбу на первое ноября, к тому времени я уж точно буду в Москве. А хочешь, как сдашь сессию, приезжай ко мне, я тебя возьму лаборантом, будешь получать, правда, сущие гроши, но зато будем вместе...

— Комаров кормить?

— Ничего, намажем тебя диметилфталатом... — грустно улыбнулся Виктор.

А Инге стало страшно.

— Вить, а все же, что случилось с Никитой?

— Да вроде подрался с бичом...

— Вить, я боюсь.

— За меня боишься? Зря, я бичей в партии держать не буду, это мой принцип. Я уж подрядил трех студентов. И потом, я начальник строгий, а Никита был не строгий, а вздорный. То большую оплошность не заметит, а то за мелочь какую-нибудь взыщет... А так в партии нельзя. Дисциплину никто не отменял, но она должна на уважении держаться, а вовсе не на панибратстве. Сколько раз я говорил Никите... А, что теперь... Нету его...

— Жалко, — всхлипнула Инга.

— Значит, ты не обижаешься, что пришлось отодвинуть свадьбу?

— Да нет. Если человек умер...

— Я знал, что ты у меня хорошая... Душевная, все понимаешь. А я тебе знаешь, что привезу к свадьбе?

— Что?

— Горжетку из соболя.

— Витя!

— У охотников достану, всего-то и надо две шкурки...

— Ох, это так шикарно...

Инга ничего не смыслила в мехах, но у их педагога по вокалу Ираиды Сергеевны была небольшая соболья пелеринка, предмет зависти всех женщин института, студенток и преподавательниц. Когда-то эту пелеринку ей подарил ее муж, генерал авиации. Инга очень ясно представила себе, как она придет в этой горжетке в институт и все ахнут... Хотя к чему я смогу ее надеть? Нет у меня пока такой вещи. Но я что-нибудь придумаю!

И Виктор улетел.

Наши дни

Захар проснулся от удушающей жары и сразу включил кондиционер. Над морем висело желтоватое марево. Хорошее дело, ноябрь на дворе, а тут такое. Черт, забыл, как это называется... ах, да, хамсин. Интересно, как там Рита? Вчера он отвез ее в отель, который оказался совсем близко от его маленькой гостиницы. Этот мерзавец, ее хахаль, на отель не поскупился. Звонить матери было еще рано. Он принял душ и спустился в ресторан к завтраку. Есть не хотелось, хотя после самолета у него маковой росинки во рту не было. В помещении работал сильный кондиционер, но он чувствовал давящую духоту и здесь. Было как-то не по себе. Он даже не стал пить кофе. Давление, что ли, поднялось? И тут позвонила мать.

— Захар? Ты нормально добрался?

— Да, все в порядке.

— Сегодня хамсин.

— Да, я заметил. Я скоро выезжаю, но адреса не знаю. Можно скинуть на телефон.

— Да, да, я сейчас скину. Когда тебя ждать?

— У меня есть еще одно дело, но это, скорее всего, ненадолго. Буду выезжать, позвоню.

— На чем ты собираешься ехать, сегодня суббота. Кроме такси, нет транспорта. Я сама за тобой приеду.

— Нет-нет, я взял напрокат машину. И доберусь по навигатору.

— Ты сообразительный. Весь в деда.

— Хорошо, я позвоню, когда буду выезжать. До встречи.

— Да-да.

Захар вышел на маленькую терраску, покурить. Господи, что за кошмар! Хотя идти до отеля Риты минуты три, но по такой жаре... Он изумленно взирал на прохожих, идут себе как ни в чем не бывало. Привыкли. Неужели к этому можно привыкнуть? Захар неоднократно бывал в Средней Азии, даже летом, но такого ужаса не помнил. Ну да, там жара сухая, а тут влажная...

— Ничего, к вечеру сломается, — произнес по-русски пожилой охранник.

— Что сломается? — не понял Захар.

— Так шараф.

— Что?

— Да хамсин.

— А! Что значит сломается?

— Ну, пройдет... А вы первый раз в Израиле?

— Да. Ночью прилетел. А вы здесь давно?

— Да уж лет двадцать.

— Привыкли к хамсинам?

— Привык, куда денешься... А вот жена у меня никак не привыкнет. А вы бы пошли искупаться, тут обычно волны сильные, а в хамсин море как зеркало. И вода сейчас хорошая, градуса двадцать три — двадцать четыре. Легче станет.

— Думаете?

— Да проверено уж. Вы ж еще совсем молодой!

— Да, пожалуй, стоит искупаться...

— Вы на рецепшн полотенце возьмите.

— Спасибо большое, так и сделаю!

В самом деле, что я, старик, рассыплюсь от хамсина? А Рита наверняка еще спит. Небось долго заснуть не могла, а к утру ее сморило... Он думал о ней без всякого волнения, просто как об одном из своих подчиненных, вернее, как о каждом из членов своей команды. Он сколачивал эту команду пять лет, путем проб и ошибок, и сейчас ему казалось, что группа работает как хорошо отлаженный механизм, за которым, разумеется, надо ухаживать, вовремя смазывать и тестировать. И этот механизм уже дает неплохие результаты... Да, надо написать Армену, чтобы вторую серию опытов начинали без меня. Вот и поглядим, не слишком ли распляшутся мыши в отсутствие кота...

Вода в море казалась просто прохладной по сравнению с воздухом. Какое блаженство! Он поплыл. Ах, хорошо! Купающихся было немного. Он заплыл далеко, до волнореза, и повернул обратно. Прямо перед ним было безвкусно раскрашенное здание отеля «Дан», где остановилась Рита. А зайду-ка я к ней прямо с пляжа, пока прохлада еще ощущается. Так он и сделал.

— Простите, — обратился он к портье на своем безупречном английском. — Мисс Метелёва в каком номере?

— Одну секунду, — вежливо улыбнулся портье. — Как вы сказали, мисс Метелёва?

— Маргарита Метелёва.

— А она выехала.

— Как выехала? Она же только ночью заселилась?

— Да. А в семь утра вышла с вещами, вызвала такси в аэропорт и уехала. Ваше имя... Захар?

— Да.

— Мисс оставила для вас письмо. Вот оно.

— Спасибо!

Захар отошел от стойки портье, сел в кресло и открыл незапечатанный гостиничный конверт.

«Огромное Вам спасибо за все, Вы мне очень помогли, я все поняла. Вы были правы, надо жить дальше. Но не здесь. Вы очень хороший человек. И дай Вам Бог счастья! Рита».

Захар ощутил вдруг неимоверное облегчение. Он ей ничего не должен, он все-таки ей помог — и прекрасно. Он больше не отвечает за нее, она вне его команды, вне его жизни, а он все-таки не мать Тереза! Он вышел на улицу. И его неудержимо потянуло опять в море. Хотелось смыть с себя всю эту историю с Ритой.

Еще через час он взял телефон, чтобы позвонить матери, но предпочел отправить ей эсэмэс: «Выезжаю. Захар». По крайней мере можно обойтись без обращения и не выглядеть хамом.

Когда-то

Инга неплохо сдала сессию и задумалась, что делать дальше. То ли поехать домой, к родителям, то ли податься с девчонками в Коктебель. Виктор оставил ей не так уж мало денег, а у Таньки Маркарьян была маленькая дачка в Коктебеле, и она звала подруг поехать туда на две недели. Инга никогда еще не была в Крыму, да и вообще на море. Хотя только последняя дура может сомневаться, куда ехать — в продымленный паршивенький городишко или же в Крым! И она написала родным, что ее пригласили на съемки, правда, в массовке, но зато в Крым!

Таня Маркарьян, Оля Колобаш, Нина Федотова и Инга собрались дома у Оли и решали вопрос, как добраться до Коктебеля. Билетов ни у кого не было, и достать их в разгар сезона не представлялось возможным.

— Может, попробуем уговорить проводников? — без всякой уверенности предложила Таня.

— Безнадега! Сейчас таких уговорщиков на каждую проводницу не меньше дюжины, а у нас денег мало, — заметила рассудительная Нина, — мы по-любому в проигрыше. На самолет тоже билетов не купить. Думайте, у кого есть хоть какой-то блат.

— Или кавалер с мотором, — хмыкнула Оля.

— Легко сказать, кавалеры-то разные есть, моторизованные в том числе, а вот такого, чтобы согласился вывезти на Юга четырех красавиц, что-то не наблюдается, — засмеялась Оля. — Тань, а у тебя, случайно, нет горячего армянского парня с машиной?

— Горячий есть, а машины у него, увы, нету!

— Девчонки, а давайте автостопом! — предложила Инга. — Вчетвером не страшно! Главное, не соглашаться, чтобы нас по двое брали. Просто будем добираться на грузовиках, только и всего.

Девушки переглянулись.

— А что, — сказала храбрая Нина, — по-моему, самое оно. Надо только не говорить, что мы артистки, а...

— Я знаю! — воскликнула Таня. — Мы будем говорить, что учимся в Тимирязевке, на зоотехников. Представим себе, что мы на съемках, играем сельских девчат... Будет весело!

Идея всех привела в восторг.

— Только никаких чемоданов, рюкзаки, кеды, чем затрапезнее, тем лучше!

— Ясное дело!

— Надо разработать маршрут, — сказала Инга.

— Какой еще маршрут? — удивилась Оля.

— А ты что, выйдешь на Садовое кольцо, остановишь полуторку и скажешь: дяденька, до Коктебеля не довезете? — рассердилась Инга. — Надо все продумать.

— Правильно! — кивнула Таня. — На электричке доедем до самой дальней станции, а уж оттуда начнем голосовать.

— А по какой дороге?

— Я думаю, по Киевской, мы ж на поезде через Украину едем, — заметила Таня.

— Да, точно! Ой, девчонки, надо бы с Васькой Гавриленковым посоветоваться, он в прошлом году добирался в Крым автостопом, — вспомнила Нина. И залилась краской. Она была по уши влюблена в Васю Гавриленкова.

— Точно! — обрадовались все. — Васька посоветует.

— А он, по-моему, уже куда-то умотал.

— Нет, я вчера его в общаге видела.

— Девочки, у моего Вити полно карт, сами проложим маршрут.

— Нужна карта автомобильных дорог!

— Нет, чего нет, того нет, — развела руками Инга.

— А у нас должна быть! — вспомнила вдруг Оля. И в самом деле, принесла потрепанный «Атлас автомобильных дорог».

И они взялись за дело! При этом все веселились, шутили, подкалывали друг дружку и вскоре почувствовали, что вполне смогут достаточно дружно преодолеть долгий путь.

— Надо еще продумать, что из жрачки взять с собой, — заметила Нина.

— Только не «завтрак туриста», — закатила глаза Таня. — Этого я не переживу!

— Да, рассчитывать на придорожные забегаловки нельзя, отравимся на фиг! — кивнула Инга. — Надо наварить яиц, купить плавленые сырки...

— У меня есть батон сухой колбасы! — заявила Оля.

— Класс! — обрадовалась Инга. — Ну там огурцы-помидоры по дороге купим, соль, спички, концентраты...

— Какие концентраты? — испугалась Таня.

— Ну, бульонные кубики, какао...

— И хватит с нас... Да, а хлеб?

— Ну, на первый день возьмем, а дальше разживемся. Да, а где мы ночевать-то будем?

— Да уж где придется! Лучше бы всего в кузове грузовичка, который повезет нас к Черному морю!

— Ой, девочки, как здорово!

...Ах, как они веселились в дороге! И в самом деле без особых приключений добрались до Феодосии. Четверых веселых хорошеньких девчат шоферы с удовольствием подвозили, иногда и подкармливали. Девчонки загорели, обветрились, сдружились. В Феодосии они первым делом купили пирожков с повидлом и отстояли большущую очередь к бочке с квасом. Один из водителей подарил им трехлитровую пластмассовую канистру.

— Берите, девчата! Винишко крымское будете покупать! Это вам за песни. Уж больно хорошо вы поете! Как говорит моя жинка, «дуже гарно»!

Наевшись пирожков с квасом, они погрузились в автобус, идущий до Коктебеля.

— Тань, а что, у тебя дом пустой, что ли, стоит? — поинтересовалась только сейчас Оля.

— Зачем пустой? Там бабушка.

— Бабушка? А она нас не выгонит?

— Да вы что! Чтобы армянская бабушка выгнала гостей? С ума совсем сошли? Она нас так кормить будет... Ну а мы, понятное дело, будем ей помогать немножко. Не волнуйтесь, бабушка у меня золотая! — успокоила девчонок Таня.

— А как твою бабушку зовут?

— Асмик!

— А по отчеству? — спросила Оля.

— Гарегиновна! Но это не нужно, зовите ее просто бабушка Асмик.

— Неудобно как-то, — засомневалась Нина.

— Очень даже удобно. Куда удобнее, чем Асмик Гарегиновна.

Бабушка Асмик оказалась невысокой, полной, совсем еще нестарой женщиной, которая страшно обрадовалась гостям.

— Таня-джан, как хорошо, что подружек привезла! Вас четверо, значит, целое купе заняли?

— Да, бабушка, целое купе! Так было весело!

Таня заранее предупредила — бабушке ни слова про автостоп.

— А что это вы все с рюкзаками?

— Да неохота с чемоданами таскаться, с рюкзаками удобнее.

— А как же вы в разгар лета билеты достали?

— А у Нинки блат на железной дороге! — нашлась Оля.

— А... Надо будет иметь в виду... — засмеялась бабушка Асмик.

А Нина незаметно показала Оле кулак.

Только Инга не принимала участия в общем гомоне. Она сидела как пыльным мешком прихлопнутая. Она увидела море. Оно было еще прекраснее, чем она могла себе представить. Синее, огромное, ни конца, ни краю! Хочу жить у моря... Просыпаться и видеть море... Что может быть лучше?

— Ну вот что, дорогие, вы мне на голову свалились неожиданно, а потому сейчас бегите-ка на пляж, а через полтора часа жду вас к обеду! Вы плавать-то умеете?

Оказалось, что все умеют.

— И хорошо! Вперед!

Как приятно было после пыльных ковбоек и треников надеть легкие сарафанчики.

Как же они хохотали, обнаружив, что у всех сарафаны сшиты из жатого ситца.

— Ишь, какие мы все предусмотрительные!

— Удобно же, не так мнется...

Появление на пляже четырех хорошеньких девушек не прошло незамеченным, но они, ни на кого не обращая внимания, сразу ринулись в воду. Они так пропылились и просолились в дороге... Ах, как хорошо! И я еще раздумывала, не поехать ли к родителям... Вот была бы дура... Инга поплыла, ничего не боясь, ни о чем не задумываясь. Ей никогда в жизни не было так хорошо. Солнце слепило глаза, темных очков у нее не было...

— Инга! Инга! — донесся до нее чей-то крик. — Вернись, ненормальная, в Турцию заплывешь! — Ее догоняла Таня. — Инга, с ума сошла, пограничники заловят... — хохотала она.

— Танечка, милая, если б ты знала, как я тебе благодарна!

— За что?

— А за море! За то, что позвала меня сюда... Я даже не думала, что море — это так... так прекрасно!

— На здоровье, Инга! Все, поплыли назад, а то бабушка сердиться будет. Она вас сейчас так накормит! А вечером пойдем к писателям.

— К каким писателям?

— А тут недалеко Дом творчества Союза писателей, там такие парни бывают... Пис. дети!

— Что? — ахнула Инга, ей показалось, что Таня произнесла нечто совершенно неприличное.

— Писательские дети, — разъяснила Таня. — И, кстати, знаменитые артисты тоже попадаются. А многие пис. детки учатся в МГИМО. Сама понимаешь...

— Ну, девки, вы и плаваете! — восхитилась Нина. — Мы с Ольгой тоже думали, что умеем плавать, но куда нам до вас... Инга, ты где так плавать научилась?

— Слыхала, есть такая река Ирень?

— Ирень? Нет, не слыхала. Это где?

— На Урале.

— А...

Боже, как их кормила бабушка Асмик! Ничего подобного Инга никогда не пробовала.

— Это настоящая армянская кухня? — сверкая глазами, спросила Инга.

— Ну как тебе сказать, детка, — отвечала бабушка Асмик. — Мы вообще-то тбилисские армяне, так что это смесь грузинской и армянской кухни.

— Бабушка Асмик, а вы дадите мне рецепты?

— А ты что, детка, готовишь?

— Готовит, готовит, она осенью замуж выходит, ей надо! — сказала Таня.

— Замуж? Дело хорошее. А кто же твой жених? Тоже будущий артист?

— Что ты, бабушка, у Инги жених кандидат наук, геолог...

— О, ученый, значит? Это хорошо, это дело! И я дам тебе все рецепты, какие пожелаешь!

— Знаешь, бабушка, Инга такие пельмени делает, с вилкой проглотишь!

— Настоящие сибирские пельмени?

— Нет, уральские!

— А в чем разница?

— Я даже не знаю, по-моему, у нас просто их покрупнее делают, а так...

— Меня научишь?

— Бабушка Асмик, как я могу вас учить? — зарделась от удовольствия Инга.

— Обыкновенно — покажешь, как это делать...

— Хорошо, покажу, конечно! Но и мне можно будет иногда смотреть, как вы готовите, так легче всего научиться.

— Умница, девочка!

И понеслись дивные крымские дни — море, солнце, веселье, легкое крымское вино, яства бабушки Асмик, вечерние прогулки с кавалерами... Девчонки загорели, и лучше всех загорела Инга! Она просто покрылась ровным нежным загаром, волосы слегка выгорели, глаза сияли, она была необыкновенно хороша. Таня быстро почернела, Оля обсыпалась веснушками, и только Нина страдала неимоверно. Она в первый же день обгорела, бабушка Асмик, причитая, мазала ее мацони.

— Ты что, детка, тебе нельзя на солнце.

— Что ж мне теперь, не купаться? — чуть не плакала девушка.

— Купаться можно, а сидеть надо в тенечке, накинув халатик и под зонтиком...

— Девчонки вон как загорели...

— А у тебя кожа нежная, белая, это тоже ценится. Загорелых на пляже пруд пруди, а ты дня через три будешь привлекать куда больше внимания, — смеялась бабушка Асмик.

Впрочем, Инга сообразила и сварганила для подруги красивую пелеринку, прикрыть обгоревшие плечи, в результате Нина выглядела как минимум оригинально и была страшно довольна.

А Инга больше всего наслаждалась морем. Заплывала дальше всех и с восторгом ловила на себе восхищенные взгляды всех лиц мужского пола, когда выходила из воды.

Она никогда еще не ощущала так остро радость жизни и упоение своей красотой.

Она как раз выходила из воды, когда вдруг рядом с ней вырос какой-то мужчина.

— Инга? Ты?

Это был Леша Тверитинов. Тоже загорелый, высокий, мускулистый...

— Леша? Как ты меня нашел? — страшно испугалась она.

— Я тебя не искал. Просто случайно увидел. И, честно сказать, ослеп. Я только вчера приехал. Знаешь, я сейчас скажу жуткую пошлость... Тебе наверняка уже сто раз здесь это говорили...

— Ну скажи...

— Ты как...

— Афродита или там Венера, выходящая из морской пены, да?

— Да, — рассмеялся он. — А ты здесь с кем?

— С подружками. Хочешь, познакомлю?

— Да нет, спасибо.

Он буквально пожирал ее взглядом.

— Инга, я тут тоже с друзьями, мы собираемся в шашлычную, не хотите с нами?

— Можно!

Через час целой оравой они отправились в путь, распевая дурацкую песенку: «Цель наша конечная — шашлычная-чебуречная!»

— Ох, Инга, какой парень! И он в тебя по уши! — шептала Таня.

— Я бы за таким на край света! — жалобно простонала Нина. — И я вот что тебе скажу, твоя свадьба сорвалась, так?

— Не сорвалась, просто отложилась.

— Ерунда! Это судьба! И потом, Витя твой — это уже прочитанная книга, ты с ним три года живешь... А этот... Обалденный парень!

— А как же Гавриленков? — со смехом напомнила Инга.

— Это святое! — засмеялась Нина.

Ах, как было весело, как сладко замирало сердце, когда Леша брал Ингу под руку, когда кормил ее шашлыком, а потом, уже изрядно захмелевшую, посадил себе на колени, и она вдруг обвила руками его шею, чувствуя как он напрягся, как задрожал и прижался губами к оголенному, золотому от загара предплечью. Ее как будто тряхнуло током... Сколько раз она слышала и читала это выражение, насчет тока, и хотя считала себя опытной, почти замужней женщиной, но впервые осознанно ощутила это только сейчас.

— Инга, а давай... Выходи за меня замуж!

— Замуж? Как это? А Витя?

— Отвечаю по пунктам — да, замуж, очень просто, а Витя... Витя хороший малый, только он тебе не пара, ты с ним с тоски сдохнешь. Не твой масштаб! И потом... это судьба, Инга! Ваша свадьба расстроилась, он уехал, а мы встретились тут, у моря... Я люблю тебя, Инга! Давно...

— Леша...

— Да, люблю! Я всегда, как черт ладана, боялся женитьбы, а сейчас...

— А сейчас ты выпил лишнего, и я тут сижу у тебя на коленях, вот ты и поплыл...

— Дурочка... Не веришь мне? Зря! Давай завтра утром, раненько, часов в семь, встретимся на пляже, и я повторю все, что сказал сейчас, в здравом уме и твердой памяти... И если ты согласишься...

— Что тогда будет?

— Увидишь!

— А если не соглашусь?

— Ничего и не будет.

Все девушки были в восторге от прогулки. За Олей приударил один из приятелей Тверитинова, Таня с Ниной тоже не остались без мужского внимания. Кто-то предложил пойти купаться.

— Да ну, ночью тут пограничники прожекторами пляж обшаривают... — возразила Таня. — Неохота!

Никто не стал особо настаивать. Они еще пообжимались по кустам и разошлись. Девчонки были не прочь остаться с парнями, но боялись бабушку Асмик.

— Ничего, — шепнула им бойкая Оля. — При желании можно и днем переночевать, а ссориться с твоей бабушкой не стоит!

— Это точно! — расхохотались они, тем более что именно об этом каждая из них договорилась со своим парнем.

Инга плохо спала эту ночь. Неужели Леша не шутил? Не сболтнул по пьяни? Она пыталась защититься привычным «лучше синица в руках», но на сей раз не получалось. И синица пока еще не в руках, там, в поле, все мужики кого-то себе находят, и не факт, что какая-нибудь умная геологиня не захомутает Виктора... У них будет общность интересов, а я в гробу видала его геологию, как и он, впрочем, мое искусство. Собственно, Леша сейчас даже в большей степени синица... Как он дрожал... Как смотрел на нее, как целовал... У него такое красивое, мускулистое тело... И такая квартира на Ленинском, с окнами в Нескучный сад и уютным зелененьким туалетом. Неужели я буду там жить? А почему бы и нет? С такой-то красотой... И какой это сюрприз он мне приготовил? Я с ума сойду до семи утра...

Она прибежала на пляж без пяти семь. И сразу увидела Алексея. Какой красивый, подумала она, кидаясь в его объятия.

— Видишь, я совершенно трезвый, искупался, охолонул и уже в здравом уме и твердой памяти повторяю свое предложение! Ты выйдешь за меня?

— Да, Лешенька! Я согласна.

— Тогда беги домой, собери вещички и предупреди подружек. Мы через полчаса выезжаем. Я подъеду к дому.

— Как уезжаем? Куда?

— Сюрприз!

— А... море?

— Там моря будет сколько хочешь, — засмеялся он.

— А на чем мы поедем?

— Как на чем? На машине. Я сюда на машине приехал.

— На своей?

— Ну не на такси же!

— Так я побегу?

— Беги!

Инга вприпрыжку домчалась до дома и в садике столкнулась с бабушкой Асмик.

— Ты откуда, красавица?

— Бабушка Асмик, я замуж выхожу!

— Да знаю я...

— Нет, я сейчас, сегодня... Он приедет за мной на машине... Он такой красивый, бабушка Асмик!

— Ты где его нашла? На пляже? И поверила? Знаешь, сколько тут всяких прохвостов? Не пущу!

— Что вы, бабушка Асмик! Я давно его знаю, он почти что доктор наук, сын академика Тверитинова, он давно меня любит...

— Ишь ты, сын академика... Доктор наук... А годков ему сколько?

— Тридцать, как и Виктору, кстати. Но я тут только поняла, что тоже его люблю. И это судьба, он не знал, что я здесь и свадьба моя расстроилась... Это знак, бабушка Асмик, — лихорадочно бормотала Инга.

— Ну что с тобой делать...

Инга натянула маечку, надела шорты, покидала в рюкзак свои скудные тряпочки, вот и все сборы. Девчонки дрыхли без задних ног. Надо бы попрощаться с ними, но нет, не буду, решила она, а то такой визг поднимется... Бабушка Асмик скажет, они поймут... И она выскочила на крыльцо.

— Инга, — тихонько позвала ее бабушка Асмик. — На вот, поешь...

— Не могу, бабушка Асмик... Только водички глотну...

— Так я и думала, — улыбнулась пожилая женщина. — На вот, я тут вам в дорожку собрала... Перекусите, а то летом у нас по дороге и поесть негде, везде такие толпы. И чем там еще накормят... — И она протянула Инге объемистую сумку.

— Да что вы, бабушка Асмик!

— Бери-бери, тут все хорошее, домашнее. И дай тебе Господь счастья. О, а вот и твой женишок подъехал. Пойду-ка я с ним поздороваюсь, погляжу, что за фрукт...

Леша вылез из своих «жигулей».

— Вот, бабушка Асмик, это он... — засмущалась Инга.

— Здравствуйте! — широко улыбнулся он. — Вот, забираю у вас одну красавицу.

Бабушка Асмик пристально на него посмотрела, улыбнулась и перекрестила его.

— Хороший, — шепнула она Инге. — Держись за него.

— Спасибо вам за все, бабушка Асмик, я вас как родную полюбила.

— А пельмени так и не научила меня делать...

— Спасибо вам за Ингу. Она о вас много говорила.

И он поднес к губам черную от загара сморщенную руку бабушки Асмик.

Та поцеловала его в лоб.

— Дай вам Бог счастья, дети мои!

И они уехали.

— Какая славная бабка!

— Она нам дала с собой целую сумку еды.

— Да ты что! Хорошо, не будем терять время в очередях.

— Леш, а куда мы едем?

— В Ялту.

— А зачем?

— Увидишь! — загадочно улыбнулся он.

— Леш, ну не мучай меня, я же умру!

— Ладно, так и быть. Скажу. Я договорился с одним товарищем, нам с тобой предоставят каюту на морском лайнере. Сплаваем до Одессы и обратно!

— Леша! — задохнулась от восторга Инга. — Лешенька!

— А когда вернемся, поедем домой, в Москву! Жениться!

Наши дни

Путь лежал в маленький городок на берегу Средиземного моря, на хорошей скорости часа полтора от Тель-Авива.

Подступало привычное раздражение, как всегда перед встречей с матерью. Впрочем, все их встречи легко пересчитать по пальцам одной руки. Но сейчас она ждет от меня какой-то помощи... Интересно, какой? Даже вообразить трудно! Может, материальной? Это было бы самое простое. Но я не так уж богат... А запросы у нее будь здоров. Что ж, чем смогу, помогу. И почему я должен всем помогать? Вон, даже незнакомой девушке в аэропорту... А тут все-таки женщина, которая произвела меня на свет. Спасибо, конечно, я этот самый свет люблю. А ее не люблю! Но чтобы чувствовать себя порядочным человеком, приехал. А тут хамсин, здравствуйте, я ваша тетя! Кошмар какой-то, только под кондиционером и можно существовать, а от сильного кондиционера начинают течь сопли, тьфу ты! Он затормозил, достал из бардачка пачку бумажных платков, высморкался. А может, просто открыть все окна, на ходу будет обдувать... Но обдувало его таким нестерпимым жаром, что он предпочел сопли. И самому стало смешно, привычная жизнерадостность брала верх и над раздражением от хамсина, и над застарелой обидой на мать, и над некоторым разочарованием от исчезновения Риты. И чего унывать? Дорога прекрасная, машина идет хорошо, подумаешь, сопли текут, большое дело, это же не насморк, от которого неделю не отделаешься, а просто аллергия. А между прочим, в гостинице от кондиционера сопли не текли, в чем дело, интересно знать? А, понял, там кондиционер работал и при открытом окне... Надо попробовать и тут. Он приоткрыл окно в машине. Густой горячий воздух хлынул было в машину, но не смог добраться до Захара. И все сразу стало спокойно. Ну надо же, как интересно, а я ведь сделал совсем небольшую щелку... Настроение еще больше поднялось. Ага, а вот и нужный мне городок. Может, надо купить цветов? Да ну их... И где их искать в такую жарищу?

Он подъехал к дому номер пять по улице Бен Иегуды. Кажется, в Израиле улица Бен Иегуды неизбежна в любом населенном пункте, как у нас улица Ленина. До сих пор. Вот в Москве переименовали Пушкинскую в прежнюю Большую Дмитровку, улицу Чехова в Малую Дмитровку, а Ленинский проспект так и остался... Ну да, просто переименовать власти как-то стесняются. Ведь у Ленинского проспекта нет старого названия. Мне-то хорошо, дед всегда, в подражание прадеду, называл Кировскую Мясницкой, Кропоткинскую Остоженкой, площадь Восстания Кудринской...

Он отвлекал себя этими праздными мыслями от необходимости вылезти из прохладной машины, пройти несколько шагов и позвонить в дверь. А домик у мамаши что надо, нехилый. Ладно, хватит, будь мужиком, Захар!

И тут он увидел, как на крыльцо выбежала женщина.

— Захар! — крикнула она. — Захар!

Он не видел ее лет шесть. Она здорово постарела. Хотя все еще была красива. Он решительно вышел из машины.

— Захарушка! Здравствуй, спасибо, что приехал!

Обоим было как-то неловко.

— Зачем вы? Идите в дом, такая жара...

— Ничего, я привыкла! Спасибо, спасибо, что приехал.

— Ох, как тут прохладно! Хорошо!

— Проходи, проходи, ты голоден?

— Да нет, благодарю, я в такую жару...

— Но в доме ведь не жарко... Мазган вовсю работает.

— Мазган?

— Это кондиционер, — чуть смущенно улыбнулась она. — Садись, отсюда видно море...

Но сейчас видно было лишь все то же желтоватое марево.

— Не повезло тебе, сынок, в этот раз хамсин уж очень злой...

— А бывает добрее?

— Бывает, — улыбнулась она. — Но кофе ты выпьешь? Я испекла пирог... И фрукты есть... Ты любишь пассифлору?

— Что это?

— Маракуйя.

— А... нет, ни разу не пробовал... Я вообще насчет фруктов не очень...

— В отца... Он любил только клубнику и мандарины.

— Вы помните такие детали? — насмешливо спросил он.

— Захар, не надо иронизировать. Я вот смотрю на тебя... Впрочем, кофе я все-таки сварю. Ты любишь крепкий?

— Да. И несладкий.

— Хорошо. Крепкий и несладкий... Посиди, я сейчас. Ты куришь?

— Да.

Она вышла. Захар огляделся. Гостиная, в которой он сидел, была просторная, большая, очень красивая, с огромной террасой, выходящей на море. Он вспомнил слова бабушки:

«Твоя так называемая мать была помешана на море. В моем детстве около ГУМа продавали стеклянные колбочки, где в какой-то жидкости плавал стеклянный чертик. И была резиновая нашлепка. Нажмешь на эту нашлепку, и чертик начинает двигаться. Называлась эта красота или «морской житель», или еще «американский житель». Этот чертик и есть твоя мамаша».

«Томочка», — мягко улыбался дед, — «ты не права, Инга была исключительно красивой женщиной».

«Женщиной?» — вскипала мгновенно бабушка. — «Женщина не может бросить своего ребенка ради моря...»

Почему вдруг всплыл в памяти тот разговор? Бог весть. Вернулась мать, толкая перед собой сервировочный столик. Быстро и ловко расставила на большом круглом столе изящные чашки, кофейник, тарелку с пирогом, вазу с фруктами. Он наблюдал за ней. Она изменилась. В ней появилась... грусть. И это совершенно не вязалось с тем образом, который остался в его памяти после первой встречи с матерью пятнадцать лет назад. Тогда она показалась ему красивой, как Шарон Стоун, шикарной и чем-то отвратительной... А может, это было влияние бабушки? Отца тогда уже не было в живых. Бабушка умела ненавидеть... Но четыре года назад ушла и бабушка. Захар с дедом остались одни.

— Захар, вот... Пей кофе... Я положу тебе пирог. Он с виноградом. Ты когда-нибудь ел пирог с виноградом?

— Пирог с виноградом? Никогда даже не слышал...

— Попробуй, сынок.

От слова «сынок» его передернуло. И она, кажется, это заметила.

Пирог был восхитителен! Виноград казался совсем свежим и очень вкусным.

— В самом деле, вкусно и неожиданно, спасибо. Ну вот... я приехал... Какая помощь от меня требуется?

— Помощь? — недоуменно вскинула брови мать. — Да нет... просто... я должна попросить у тебя прощения за все. Я знаю, я недостойна...

— Я прошу вас... не нужно... Дед сказал, что вам нужна моя помощь, вы овдовели... ну и... Вот, я приехал... Я готов...

— Я понимаю, как выгляжу в твоих глазах...

О боже, сейчас она начнет каяться... Это невыносимо!

Но она вдруг встала, вышла и через минуту вернулась, неся в руках изящный фотоальбом. Только этого еще не хватало. Раздражение поднималось, как тошнота.

— Вот, Захар, ты же никогда не видел даже фотографии своих деда и бабки по материнской линии... — как-то неуверенно произнесла она. — Хочешь взглянуть?

Ему хотелось крикнуть — нет, не хочу, зачем мне эти чужие люди? И ты мне совершенно чужая, и нет у меня никакой материнской линии... Но не посмел, промолчал.

Она открыла альбом. Это был вполне современный, очень изящный альбом. А фотографии в нем были старые, выцветшие, очень дурного качества. Таким самое место в старом плюшевом альбоме с толстыми картонными страницами и прорезями по углам. В этом же альбоме чувствовалась какая-то дисгармония... безвкусица даже, как будто замшелую деревенскую старуху нарядили в кофту с люрексом.

— Вот, это твой дед, и ты здорово на него похож.

В самом деле, Захару тоже бросилось в глаза это сходство. А у бабушки просто очень милое лицо. Видно сразу, это были хорошие люди. А она... она лишила и меня этих людей, и родителей своих лишила внука...

Он молча смотрел снимки.

— Вот, твой дед был технологом на заводе. А внук уже профессор, хоть и молодой еще...

— Ну, у меня дед академик и отец был член-корреспондентом, так что...

— Да-да, я понимаю... Я все понимаю, Захар...

— А они... живы?

— Нет, из всей семьи никого не осталось. И сестры умерли, одна спилась, другая умерла от ангины... И во всем свете только ты у меня родная душа...

— А как вы оказались в Израиле? Помнится, вы наведывались в Москву из Франции.

— Наведывалась... Надо же... Муж решил вернуться на историческую родину, во Франции ужасный антисемитизм. Сейчас алия в основном французская... Но этот климат его убил.

— А вы легко переносите этот климат?

— Да. Я всегда любила жару. И я легко освоила иврит. И море рядом... Я, Захар, совсем не могу без моря...

— А родились на Урале.

— Да. Так получилось... Скажи, Захар, а как чувствует себя Дмитрий Захарович?

— Дед? Для своих лет вполне хорошо. Работает еще.

— Ты... не женат, Захар?

— Нет. Бог миловал.

— Но ты очень интересный мужчина! Девушки наверняка не дают тебе проходу?

— Да не сказал бы. Нынче ученые не в цене.

— И у тебя нет постоянной женщины?

— Почему, есть. А вы никак сватать меня вздумали?

— Да нет, что ты... Знаешь, Захар, я постарела. Не скажу, что поумнела, но многое поняла, во многом раскаялась. Я любила своего мужа. Очень. И похоронила его всего неделю назад. Но предаваться горю я как-то не умею. И однажды ночью, после похорон, у нас тут хоронят уже на следующий день... я не спала, думала... У меня есть сын... Погоди, не перебивай! Да, так о чем это я?

— Однажды ночью вы вспомнили, что у вас есть сын, — жестко напомнил Захар.

— Не надо, пожалуйста... Я вдруг так захотела увидеть тебя, поговорить с тобой... О боже, за что мне эта пытка?

— Скажи, Захар, а чем ты занимаешься?

— Вы о чем?

— Ну, какая у тебя профессия? Ты тоже биолог?

— Отчасти, вообще-то я биофизик. Но сейчас занимаюсь нанотехнологиями в медицине. Вам это о чем-то говорит?

— Ну, я знаю, это что-то супер-супер современное, да?

— Да. А еще я преподаю. Я очень занятой человек.

— Захар! — взмолилась она.

— Да, простите. И все-таки, какую роль вы для меня уготовили? Исповедника?

— Ну зачем ты так? Никакую не роль... Просто как ни крути, а ты мой сын...

Нет, это непереносимо!

— Захар, ты вот спросил, чем можешь мне помочь?

— Я готов.

— Пожалуйста, перебирайся сюда, ко мне, на эти дни. Тут лучше, чем в гостинице... И море... Я не буду тебе надоедать, обещаю! Ты будешь совершенно свободен... Просто хоть ночуй тут, пожалуйста! Дом большой... Пожалуйста, Захар!

Только этого еще не хватало! Но она смотрела на него с такой мольбой...

— Ну хорошо, только...

— Обещаю, никаких исповедей... Никаких покаяний. Но если вдруг у тебя возникнет какой-то вопрос, не стесняйся, ладно?

— Я собираюсь завтра поехать в Иерусалим.

— Ради бога! Ты вообще можешь здесь только ночевать. А если вдруг захочешь где-то остаться на ночь, просто позвони мне и все. Я ни о чем спрашивать не буду.

— Хорошо. Но я должен съездить за вещами.

— Конечно. Ты поезжай, а я приготовлю ужин. Говорили, что к вечеру хамсин сломается...

— Хотелось бы надеяться.

Зачем я, идиот, согласился? Для очистки совести. В конце концов, у меня впереди почти четыре дня. Я поезжу по Израилю... Она же не требует, чтобы я сидел с ней дни напролет.

Из машины он позвонил деду.

— Как ты переносишь хамсин, Захарка?

— Дед, откуда ты знаешь про хамсин?

— Глупый вопрос, из Интернета. Ну что? Чего твоя мать хочет?

— Да вроде ничего особенного... — И он ввел деда в курс дела.

— Ты молодец, все правильно. Это очень скромная просьба. А совесть будет чиста.

— Ну, в отношении этой дамы совесть моя всегда чиста как стеклышко.

— И все же, мой мальчик, и все же.

— А как ты себя чувствуешь, дед?

— Тихо радуюсь тому, что в Москве не бывает хамсинов.

— Ты лучший дед во всем мире!

— Надеюсь, ты не ждешь, что я скажу, будто ты лучший во всем мире внук?

— Да где уж нам уж...

На обратном пути от Тель-Авива очень быстро стемнело. И Захар вдруг заметил, что видимость стала нормальной, никакого марева. Неужто хамсин сломался? Он открыл окно, и в машину хлынул свежий и даже прохладный воздух. Ура! Сломался, собака! Он выключил кондиционер. Как она сказала, он тут называется? А, мазган! К черту мазган. В открытые окна лился воздух, было легко и радостно наконец нормально дышать. А ее даже жалко... То отвратительное, что было в ней раньше, куда-то исчезло. Просто немолодая грустная женщина. Да ладно, пройдет время, она еще выскочит замуж, тут, говорят, и в восемьдесят лет замуж выходят, а ей всего лишь шестьдесят. И она еще красива. Ничего, я отбуду свою повинность и уеду в Москву, к деду, к своей лаборатории, к своим студентам, к Лизе, наконец. Он вдруг вспомнил ореол счастья вокруг Риты в аэроэкспрессе... А ведь мог бы случиться роман или даже любовь... Но она не захотела. А зачем мне, собственно, любовь? Просто, чтобы понять, что же это такое. Я ведь не знаю. Да ну, лучше и не знать. Отец вот любил Ингу. А она его нет. Она, видите ли, любила море... Но, похоже, на старости лет моря ей уже мало, теперь понадобился сын. Привычная обида брала верх... Не нужно этого допускать. Лишнее это. Вот поживу у нее эти дни и что-то, может быть, пойму про нее. Может, не все так просто. Любит — не любит... Да все это от безделья. Мозг тут не занят, вот и лезет в голову всякая хрень.

Едва он подъехал к дому матери, как открылись ворота, она выскочила ему навстречу.

— Захар, заезжай в гараж.

Тут же она пультом открыла ворота подземного гаража. Это была другая женщина. Она сияла и словно сбросила лет десять. Красивая, зараза, подумал он. Ну надо же. От радости, что сын приехал, похорошела. Легко им... Чуток радости — и уже расцветают... И вянут тоже мгновенно. Я думал, Инга Вячеславовна завяла уже бесповоротно. Ан нет!

— Как хорошо, что ты приехал! Идем, я покажу тебе твою комнату. Тут на втором этаже все есть, и ванная комната и туалет. Собственно, весь этаж в твоем распоряжении. Располагайся, а через полчаса будем ужинать. Или ты хочешь искупаться сначала?

— Нет, я не люблю купаться в темноте.

— Да? Я тоже. Я купаюсь почти круглый год... но рано утром.

Какого черта мне знать режим ее водных процедур?

— Ну ладно, ты располагайся тут, — смущенно повторила она, — и спускайся...

— Спасибо!

Зря я все-таки сюда перебрался. Дурак. Он переоделся и сбежал вниз по лестнице. В доме витали какие-то невероятно вкусные запахи. Он увидел, что мать хлопочет вокруг стола на террасе.

— Ничего, что я на балконе накрыла? Сейчас так хорошо, свежо...

— Да, после хамсина тут просто рай.

— Садись вот сюда. Тебе удобно? Вот, попробуй... Да, ты хочешь чего-нибудь выпить? Может, вина или чего-нибудь покрепче?

— Да нет, спасибо, ограничусь вином.

— Вот, попробуй, это местное... Очень неплохое, кстати. Скажи, а в Москве сейчас можно купить хванчкару?

— Хванчкару? Даже не знаю, я сладких вин не пью.

— А твоя девушка?

— Моя девушка пьет только джин с тоником.

— А ты любишь рыбу?

— Люблю. А что это за рыба?

— Дэнис. Ах да, в других странах ее называют дорада.

— Очень вкусно!

Надо сказать, что готовила она превосходно. Хотя бабушка всегда говорила, что она и вовсе готовить не умеет. Видимо, научилась за долгие годы.

— Тебе, наверное, говорили, что я даже готовить не умею, да? — усмехнулась она. — Но это неправда! Когда я попала в ваш дом, я кое-что умела, пельмени, например, да и еще многое, но у вас готовила Аглая Степановна...

Ему вдруг стало интересно.

— Понимаешь, твоя бабушка... Она меня сразу невзлюбила. А все остальные неплохо ко мне относились, и дед твой, и Аглая Степановна. А Леша любил... очень любил.

— Бабушка, видимо, ревновала сына к вам.

— Наверное. Но больше она меня опасалась, у меня ведь не было постоянной московской прописки...

— Как это?

— Ну, я приехала в Москву поступать в ГИТИС, и у меня был... один человек, он взял меня к себе, сделал временную прописку, я у него жила и мы должны были пожениться, но его вызвали в экспедицию в Хабаровский край, он был геолог, и свадьбу пришлось отложить. Я поехала с подружками в Коктебель и там встретила Лешу. И понеслось... Он повез меня в круиз на теплоходе из Ялты до Одессы и обратно, но в Одессе он кому-то заплатил, и нас расписали... Так что в Москву мы приехали уже женатыми...

— А вы... Вы любили отца?

— Знаешь, я тогда была молодая, глупая, провинциальная девчонка из нищей советской семьи, слаще морковки ничего не пробовала. Невидальщина, как говорила твоя бабушка. И тут Леша, красавец, без пяти минут доктор наук, сын академика... Наверное, все-таки любила... Да, конечно, только очень уж тяжко мне в вашем доме пришлось... А Леша не понимал... Он был очень занят всегда, и потом нас обоих совесть мучила, он ведь меня у своего друга отбил... Я красивая очень была... И очень глупая.

— Вы и сейчас очень красивы.

— Спасибо тебе, — растрогалась женщина. — Скажи, может, я зря ударилась в воспоминания, а?

— Да нет, мне интересно, рассказывайте.

— Я училась в ГИТИСе, но после замужества как-то вдруг потеряла интерес. У меня появилась маниакальная идея — я должна жить у моря. Я как-то сказала про это Леше, а он возмутился. Мол, езди на море сколько влезет, но я из Москвы не уеду. Я забеременела. И даже твоя бабка как-то ко мне смягчилась и отправила на несколько месяцев в Прибалтику, в Дубулты. Я счастлива была без ума, бросила институт, как-то вдруг поняла, что примы из меня не выйдет, а быть на выходах — этого мне свекровь не простит. Леша часто ко мне приезжал, баловал меня, радовался... тогда еще заранее пол ребенка узнать было нельзя, но я была уверена, что будет мальчик. За месяц до родов Леша забрал меня домой. И вскоре родился ты. Я хотела назвать тебя тоже

Алексеем, чтобы был Алексей Алексеевич, но у меня в этой семье не было права голоса... И тебя назвали Захаром. Я плакала, дуреха...

— Извините, но ваши родители... они были в курсе, что внук родился?

— Я им написала, но они... они хоть и совсем простые люди, но очень-очень деликатные были, стеснительные, не хотели, как папа мне написал, «заявляться в Москву бедными родственниками». Мол, когда сочту возможным, сама к ним приеду и внучка привезу. А я так и не выбралась к ним. А когда тебе полтора годика исполнилось... Ох, что это я все говорю, говорю, а что тебе-то про меня рассказывали?

— Что отца пригласили прочесть курс лекций в Калифорнии, на целых полгода, вы должны были поехать с ним, а там... там вы его бросили и вышли замуж за какого-то богача... Это было так?

— В общих чертах, — виновато улыбнулась она. — Я знаю, и у Леши, и у Дмитрия Захаровича, и у Тамары Васильевны были большие неприятности...

— Да, бабушку выперли на пенсию, отец стал невыездным — словом, неприятностей хватило...

— Я понимаю. Но у меня тогда... Я совершенно ошалела, когда за мной стал ухаживать тот американец. Он обещал, что я буду сниматься в Голливуде, говорил, что я должна, просто обязана остаться в Америке, что если я вернуть в Союз, не видать мне Голливуда, как своих ушей... Он засыпал меня драгоценностями...

— Простите, а на каком языке вы с ним объяснялись?

— На русском, он был из семьи эмигрантов первой волны. Но дело не в том... Просто в вашей семье я чувствовала себя... Золушкой, замарашкой из глухомани, а с Джорджем — королевой.

— И с отцом тоже чувствовали себя замарашкой?

— В общем, да. Но он был не виноват... Просто он был интеллигент бог знает в каком поколении... А я, дура, вместо того, чтобы тянуться за ним, просто обижалась.

— Но...

— Да, у меня был в Москве сын. Джордж клялся, что сумеет отобрать сына у отца... И я повелась.

— А он вас бросил?

— Нет, что ты! Он женился на мне.

— А Голливуд?

— Какой Голливуд с моим-то английским? Смешно. Но у меня все равно было ощущение, что я попала в сказку... Дом на берегу океана, прислуга, бассейн, все как в кино...

— А детей у вас больше не было?

— Нет. А Джордж через два года разбился на машине. Ты не думай, что я о тебе забыла. Я писала в Москву, звонила, мечтала хоть голосок твой услышать, но мне было сказано, что с предательницами никаких отношений быть не может. И они, кстати, были правы... Я предала их семью... И тебя тоже... И вот на старости лет я, наконец, могут все это тебе рассказать. И, мне кажется, ты не так строго меня судишь... Да?

— Какое право я имею вас судить? Похоже, вы сами себя достаточно строго судите.

Она улыбнулась.

— Вот! Настоящая старая русская интеллигенция! Ты пошел в деда!

— Пожалуй! Бабушка была слишком темпераментной, сказывалась грузинская кровь. Как говорил, кажется, Платон: воспитание — это усвоение хороших привычек. Так что было дальше?

— Дальше? Я погоревала и стала думать, как жить. Без Джорджа я там никому не была нужна... И вдвоем с подругой, тоже русской и тоже вдовой, мы решили поездить по Европе, благо денег хватало. И все-таки во мне, похоже, умерла актриса, скорее всего, совсем плохая, но все же актриса. И как я играла сперва роль жены богача, так я стала играть роль богатой вдовы. Даже вспомнить дико, какой дурой была. Одевалась во все черное, курила сигареты в длинном мундштуке, закидывала ногу на ногу, так чтобы в точности копировать каких-то американских актрис... И в результате в меня влюбился один авантюрист, игрок, мужчина невероятной красоты, он хотел, чтобы я помогала ему в его делишках, отвлекала своей внешностью... Но я была дура дурой, и в результате он меня бросил, обобрав на очень крупную сумму. Ну, жизнь меня еще побросала, не раз ударяла мордой об стол... А потом я встретила Бена, это уже была взрослая любовь. Его тоже жизнь помотала, и мы друг для друга стали... короче, знаешь сказочку про две половинки? Вот это тот самый случай. И я успокоилась. Хотела детей, да, видно, Бог наказал за то, что сына бросила, больше не дал... И тогда я нашла тебя...

— Ну, меня найти нетрудно было.

— Но ты... ты меня не хотел признавать. Ты тогда еще совсем молодой был, гордый. И я тебе не понравилась тогда, верно?

— Верно.

— А ты жестокий. Но я это заслужила. И всегда понимала... И потом я еще пыталась... но... А тут, когда Бена не стало, я вдруг решилась и позвонила. И твой дед, видно, что-то понял... И вот ты сидишь у меня в доме, и я не чувствую в тебе той враждебности, которую ощущала раньше.

— Вы тоже переменились, надо заметить.

— Господи, Захар...

— Только не надо слез, ладно?

— Не буду. А вот лучше ты мне скажи, раз уж у нас пошел откровенный разговор... Почему ты до сих пор не женат?

— Вероятно, еще не нашел эту пресловутую половинку, а действовать методом проб и ошибок неохота. Вот как-то так...

— А любовь... У тебя была любовь?

— Смотря что называть любовью.

— Значит, не было... Ничего, еще будет. Ты еще молодой... И ты на нее способен, я знаю. Понимаешь, любовь это ведь как талант, кому-то дано, кому-то нет.

— Может быть.

— Скажи, а Леша что, больше не женился?

— Нет.

— А отчего он умер?

— От инфаркта. Сорок пять лет.

— И в этом тоже я виновата... — понурилась она.

Он не стал ее разубеждать.

— Знаете, спасибо за ужин, все было очень вкусно, но я пойду спать, завтра хочу пораньше выехать... Извините.

— Да-да, конечно, иди. Спокойно ночи.

— Да, спасибо. И вам.

Он единым духом взлетел по лестнице. О том, чтобы уснуть, и речи не было. Он был в таком смятении! Эта женщина... его мать... Он вырос в убеждении, что она чудовище, монстр, хищная тупая баба, сгубившая его отца... Отчасти все так и было... Но сегодня он увидел совсем другого человека, она раскаялась, и, похоже, искренне, и она до сих пор удивительно красива, и в ней такое сильное женское обаяние... Думаю, она не врет, что ей было тяжко в семье Тверитиновых. И все же это не основание для того, чтобы бросить сына. Ну, ушла бы от мужа, советский суд, скорее всего, был бы на ее стороне... Вот интересно, почему при двух — всего двух! — предыдущих встречах она вызывала у меня отвращение? Она изменилась или я повзрослел? Нет... дело не в том... Просто тогда она словно бы заискивала передо мной, не знала, как вести себя... была ни в чем не уверена, даже, кажется, в том, нужен ей этот сперва зеленый юнец, а потом молодой человек, или нет? А сейчас она, что называется, на своей территории, она совсем недавно потеряла любимого человека и отчетливо поняла, что сын ей все-таки нужен. Поздновато, конечно, Инга Вячеславовна, но все-таки лучше поздно, чем никогда. Но мне-то это все зачем? Незачем вообще-то. Но... мне ее жалко, и она мне скорее даже нравится... Как ни дико это звучит. И ведь едва стало можно, она кинулась в Москву, увидеть меня, хотя вряд ли рассчитывала на теплый прием... О, я уже пытаюсь ее оправдывать...

Заснуть ему так и не удалось. В начале седьмого он встал и подошел к окну. Окно тоже выходило на море. Уже светает. И тут он увидел мать. Она шла к воде. С ума сойти, какая у нее до сих пор фигура, как-то отстраненно подумал он. Наверное, правильно поступают в Европе, да и в Америке, когда поздно рожают детей. Осмысленно, с желанием иметь и растить этого ребенка. А ей было чуть за двадцать, она еще умственно, да и эмоционально не созрела для материнства. Ни за что не женюсь на юной девушке, вдруг подумал он. Идиот, ты что, собрался жениться? Да пора уже. Может, жениться на Лизе? А что, она вполне хороша, жаждет выйти замуж, родить ребенка... Но эта идея показалась ему донельзя тоскливой. Да разве она за меня хочет замуж? Нет, она вообще хочет замуж. И ребенка тоже хочет вообще. А я так не хочу. Мне всего-то тридцать шесть. И я хочу свою половинку. Ох, надо бы уже ехать... Но после совершенно бессонной ночи запросто могу заснуть за рулем. Ладно, поеду завтра в Иерусалим, а сейчас, пожалуй, тоже пойду искупаюсь.

Он сбежал вниз, вышел на террасу, которую мать почему-то называла балконом, и увидел изящно сервированный к завтраку стол. Даже узкая высокая вазочка с одной чайной розой. Дичь какая-то, привычно подумал он. Да почему дичь? Нормально. Мать хочет накормить завтраком сына, перед которым чувствует себя виноватой... Только и всего.

Он решил, что сейчас не пойдет купаться, потом... успеется. Пусть она насладится морем. Как ему показалось, в ее отношении к морю была даже какая-то интимность... Он побежал наверх, принял холодный душ, хотя вода здесь была недостаточно холодной, однако вполне освежающей. А когда вышел из душа, услышал внизу шаги и какую-то возню. Он спустился и вышел на террасу.

— Захар, с добрым утром! Как ты спал?

— Ничего, спасибо!

— А по-моему ты плохо спал. Я сейчас напою тебя таким кофе, что до вечера спокойно продержишься. Садись, мальчик.

О! Она поняла, что слово «сынок» в ее устах меня коробит, имя Захар ей не нравится, а мальчик... Это и ласково, и в то же время нейтрально.

— Как вода? — спросил он.

— Хорошая вода. Скажи, у тебя в Израиле есть какие-то знакомые?

— Есть. Но я пока никому не звонил.

— Ты поедешь в Иерусалим?

— Да, непременно. Ваш кофе и впрямь чудодейственный.

— Знаешь, я тебе посоветую, ты присоединись в Иерусалиме в какой-нибудь экскурсии, чтобы не блуждать зря...

— О нет! Ненавижу экскурсии. Я уж как-нибудь сам.

— Дело твое. Леша тоже ненавидел экскурсии.

— Спасибо, все было очень вкусно. Я, пожалуй, поеду...

— Езжай. Я буду ждать тебя к ужину.

Захар сел в машину и испытал облегчение. До вечера я свободен. Не буду даже думать о ней... А то такая сумятица в мыслях и чувствах. И вдруг зазвонил телефон. Номер был незнакомый.

— Алло!

— Я все-таки не думал, что ты такая законченная абсолютная сволочь!

— Семка? Ты?

— Я. И где ты, сволочь, таскаешься? Ты в Израиле и не позвонил лучшему другу?

— А как ты узнал?

— Большое дело! Мне сказал твой дедушка!

— Семка, понимаешь...

— Я все знаю, ты у мамаши. Но, насколько я в курсе дела, твоя мамаша не может порушить крепкую мужскую дружбу, а если попытается, будет иметь дело со мной! Итак, где ты с утра пораньше находишься?

— Еду в Иерусалим!

— Богу молиться, Христу поклониться? Э, а ты один едешь?

— Один. Хочешь присоединиться? Сегодня же вроде рабочий день у вас?

— Что да, то да. Однако ради того, чтобы обнять небритую скотину, я отпросился.

— Позволь, откуда ты знаешь, что я небритый?

— Да ты почти всегда небритый. Особой дедукции тут не требуется. Вот что, друг, ты сейчас меняешь маршрут, едешь в Ришон-ле-Цион, подхватываешь меня, и мы вместе едем в Иерусалим. Я показываю тебе то, что ты захочешь увидеть, а потом мы поедем ко мне, заночуешь у нас, а завтра ты будешь опять вольный казак. Возражения не принимаются.

Напор и голос старого друга сделали свое дело. Захару стало весело и безумно захотелось обнять Семку... Они крепко дружили с шестого класса. Семка нередко наведывался в Москву, и они непременно встречались, не раз зазывал Захара в гости, но все как-то не складывалось. В самом деле, старая дружба важнее туристических радостей.

Они уже второй час сидели за столом в просторной квартире Семена.

— Ну, старик, как тебе моя семейка?

— Да прелесть, что говорить!

С женой Семена Тиной Захар был знаком, а вот двойняшек Катьку и Вадьку видел впервые. Смешные упитанные четырехлетние ребятишки были на редкость общительны и симпатичны.

— Значит, так! — заявила Тина. — Я понимаю, вам охота выпить за встречу, но с утра я пить вам не дам. Выметайтесь-ка, как собирались, в Иерусалим, а потом и выпьете, и поедите от пуза, но побывать в Иерусалиме обязан каждый культурный человек. Захар, ты ведь культурный человек?

— Мать, у тебя есть в этом сомнения? — вскричал Семен. — Поехали, друже, а то ведь она... Ты знаешь, что такое классная хирургическая сестра? Это монстр! Ее лучше слушаться!

— А разве хирург не главнее? — осведомился с улыбкой Захар.

— Хороших хирургов не так уж мало, а вот таких сестер, как моя супруга, поискать! И ты цени, что два классных медработника взяли выходной по случаю приезда друга.

— Я тронут... — прижал руку к сердцу Захар.

— Ладно, поехали! Только ты свою прокатную тачку тут оставь, поедем на моей.

— Годится!

В машине Семен вдруг совершенно серьезно спросил:

— Ну, как мамаша?

— Ох, непросто, Сёмка! Я что-то в растрепанных чувствах, но пока не хочу об этом говорить. Давай я лучше расскажу тебе, что со мной случилось, когда я сюда летел.

— Какая-то романтическая история? — игривым тоном спросил Семен.

— Да нет, просто дурь.

И он поведал другу о своей встрече с Ритой.

— Да, Захар, ты в своем репертуаре!

— То есть?

— Ты всегда вступался за девчонок.

— Меня так воспитывали, — улыбнулся Захар.

— И небось уже готов был на ней жениться?

— Да боже упаси, и мыслей таких не было.

— Но на романчик рассчитывал?

— Да нет... Просто чувствовал какую-то ответственность за нее.

— А она хороша была?

— В первый момент, когда она светилась от счастья, я ослеп. А потом... Нет, мне просто жалко ее было.

— Искать будешь?

— Нет.

— А она, может быть, подсознательно на это рассчитывает.

— Семка, мне ясно дали понять, что я не больно-то нужен. Да и она мне не нужна.

— Ты все еще с Лизой?

— Да.

— Ну и дурак. Ты ее не любишь, но чувствуешь свою ответственность за нее?

— За нее? Нет. Просто эти отношения нам обоим удобны, не более того.

— Ладно, к черту баб! Расскажи лучше, как твои исследования продвигаются.

— Вот это разговор!

И Захар стал рассказывать другу о своей работе.

— Да, вот нам бы такие технологии на практике применить, — мечтательно проговорил Семен.

— Нет, об испытаниях на людях речь пока не идет, но на мышей это действует безотказно. Они просто молодеют на глазах! Только, Семка, ты пока об этом не звони. А то больные обнадежатся, а мы...

— Да я все понимаю.

— У вас тоже ведутся подобные исследования, но, насколько я знаю, подход совсем иной.

— Наверно. О, а вот и Иерусалим! Сейчас мы поставим тачку и почапаем пешком по виа Долороса. Самое смешное, что я тут видел, это как группа японцев перла на себе огромный тяжеленный крест.

— Они были христианами?

— Да кто ж их знает! Но крест перли, все в поту и с восторгом в узких глазах.

В небольшом дворе у храма Гроба Господня была такая толкотня, чуть ли не давка, что Захар сказал:

— Знаешь, Семка, я в эту толпу не полезу.

— Слава богу! Надеюсь, ты теперь будешь приезжать к нам, успеешь еще. Пошли, просто побродим по Старому городу.

Так они и сделали, спустились к Стене Плача, добрели до Гефсиманского сада.

— Говорят, эти оливы помнят Христа, им реально больше двух тысяч лет.

— Да, тут такая энергетика мощная... И не хочешь, а поверишь, что все это на самом деле было, — проговорил Захар. — А теперь я хочу есть!

— Пошли, тут есть очень симпатичный грузинский ресторанчик.

— Грузинский?

— Да, он на свежем воздухе. И там можно курить.

— О, это ценно! А то сейчас в Москве даже в открытых кафе нельзя курить. Бред! Я недавно был в Германии, там на улице можно курить во всех заведениях, но мы же всегда более роялисты, чем сам король!

Они пришли в очень приятное заведение в старом саду, где их приветливо встретили, сразу подали холодной воды и принесли толстенное меню.

Захар всегда быстро определялся с выбором, а Семен со вкусом листал меню. В этот момент в ресторан вошла женщина. У Захара вдруг захватило дыхание. Она, мелькнуло в голове. Это она, моя вторая половинка, подумал он, не сводя глаз с женщины. Ей было лет тридцать, она держалась очень уверенно, села за столик неподалеку от них, что-то сказала подбежавшей к ней официантке, достала из сумки ноутбук и углубилась во что-то.

Сердце у Захара билось так громко, что, казалось, его слышат все.

— Эй, Захар, ты чего?

— Семка, посмотри, какая женщина!

— Где? Вот эта? Да это же Рита!

— Рита? — вздрогнул Захар. Опять Рита?

— Да, это сестра моего коллеги Эдика, она, кстати, москвичка, известный адвокат. Что, хороша?

— Не то слово...

— Да? Не знал, что ты западаешь на рыжих!

— Я тоже не знал...

— Хочешь, познакомлю?

— Хочу!

— Нет проблем!

Семен встал и сделал три шага к столику рыжей красавицы.

— Ритуля, привет! Какими судьбами?

— О, Семен! Ты один или с Тиной?

— Я с другом, присоединяйся к нам!

— Пожалуй!

Захар вскочил.

— Вот, Ритуля, позволь тебе представить моего друга еще со школы Захара Тверитинова, он крупный ученый, доктор наук...

— Вы из тех Тверитиновых? — с любопытством глядя на Захара, спросила она и протянула ему руку.

Он церемонно поцеловал ей руку и спросил:

— Из каких из тех?

— Алексей Дмитриевич Тверитинов...

— Это мой отец!

— Как интересно! — улыбнулась она. — У вашего отца был роман с моей матерью, года за три до его смерти. Я его хорошо помню, хоть и была совсем малолеткой.

— Вот так встреча! — воскликнул Семен.

— Ваша матушка так же красива, как вы?

— Да, но в другом стиле.

— Она благополучно здравствует?

— О да! Надо же, вы выражаетесь совсем как ваш отец. Мне всегда безумно нравились эти старомодные обороты речи. Сейчас так почти никто говорить не умеет. Кажется, Платон говорил — воспитание есть усвоение хороших привычек.

— С ума сойти, я буквально вчера вспоминал это изречение!

— Скажите, ребята, вы отсюда куда едете?

— В Ришон. Тебя подбросить?

— Было бы здорово! Я приехала на электричке из Тель-Авива, но так устала от прогулок, что...

— Довезем мы тебя, Ритуля, не дрейфь! А кстати, Захар, здесь в Израиле все обращаются друг к дружке на ты. Чего бы вам с Ритой тоже не перейти на ты?

— Я за! — улыбнулась Рита.

— Я тоже!

Она была невозможно хороша! Белокожая, веснушчатая, с гривой кудрявых медно-рыжих волос и большими зелеными глазами. Захару показалось, что между ними уже натянулась тонкая ниточка...

— Мальчики, я пойду попудрю носик! — со смешком заявила она и встала.

— Эй, брателло, ты чего? Влюбимшись?

— Она замужем?

— Нет. Эдька жаждет ее пристроить. Но она уж очень разборчива. Но на тебя, кажется, клюнула.

— А я пропал...

— Серьезно, что ли?

— Да. Никогда со мной такого не было.

— Слышь, а ту тоже вроде Ритой звали?

— Да. Не такое уж редкое имя.

— И твой предок крутил с ее мамашей... Интересный расклад, между прочим. Это, видимо, генетическое притяжение...

Тут вернулась Рита.

Боже мой, мелькнуло в голове у Захара, какая женщина!

— Захар, а ты надолго здесь?

— В среду улетаю.

— Да? А каким рейсом?

— Что-то около трех часов.

— Шестьсот тринадцатым, это точняк, — определил Семен. — Мы тут все московские рейсы наизусть знаем.

— Значит, полетим вместе, — улыбнулась Рита.

— Да? Меня это радует. Очень радует.

— Ты уже забронировал место?

— Да нет...

— Тогда я попробую забронировать нам места рядом. Но это можно только за сутки. Ты пришли мне на емелю данные твоего билета...

И она протянула ему свою визитку.

Дамочка берет быка за рога, подумал со смехом Семен. Ну и правильно!

— Скажи, Захар, ты всегда такой небритый? Насколько я помню, твой отец был всегда безукоризненно выбрит.

— Да, папа был джентльмен, как и дед, а я вот такой урод... Но к рейсу я побреюсь. Обещаю.

— А разве мы до тех пор больше не увидимся?

— А ты... хотела бы увидеться?

— Да. Я приглашаю тебя составить мне завтра компанию. Я мечтаю съездить в Ган Гуру. Возьму напрокат машину.

— Не нужно. У меня есть машина. Но что это такое, Ган Гуру?

— Я первый раз слышу, — пожал плечами Семен.

— Фу, как стыдно! Это австралийский заповедник в Израиле, там можно пообщаться с кенгуру и коалами. И не нужно для этого лететь в Австралию!

— Я готов! Поедем! — воодушевился Захар.

— А ты в Ришоне остановился? У Семы?

— Нет, я...

— Ночевать сегодня он будет у Семы! — решительно заявил Семен. — И его прокатная тачка стоит у меня.

— А сколько туда езды?

— Я узнавала, около двух часов. Думаю, выехать можно часов в десять...

— Я могу и раньше.

— Еще лучше, в девять!

— Не волнуйся, Ритуля, он побреется. Я дам ему бритву.

— Да, если можно. Не люблю небритых мужчин.

— Ты нахалка, Ритуля, — засмеялся Семен.

— Да, есть такой момент, — обворожительно улыбнулась она. — Но адвокат обязан быть нахалом. Известно же, нахальство — второе счастье.

Кого она мне напоминает? — давно уже терзался Захар.

— Вы цивилист?

— Нет. Я веду уголовные дела.

— Боже мой, такая женщина, и вдруг...

— Но это же интересно! Бывают такие захватывающие дела...

По возвращении в Ришон Захар позвонил матери.

— Добрый вечер.

— Захар, когда тебя ждать?

— Завтра к вечеру. Я сегодня ночую у Семена, а завтра с утра мы едем в Ган Гуру.

— Ох, я давно мечтала там побывать...

— Извините, у нас в машине не будет места. Всего доброго.

Он сам ужаснулся черствости своего ответа. Но что же делать, если она не понимает?

— Да нет, я вовсе не собиралась тебе навязываться. Езжай, потом расскажешь. А как тебе Иерусалим?

— Отлично. Извините, меня зовут к столу.

— Да, да, конечно, иди. Но постарайся завтра все-таки приехать.

— Я приеду. Доброй ночи.

За ужином Семен вдруг заявил:

— Тинка, ты знаешь, у нас тут, похоже, бурный роман наклевывается.

— Сема! — одернул его Захар.

— Я ничего от своей любимой жены не скрываю. В Иерусалиме мы встретили Ритку.

— Какую Ритку?

— Сестру Эдика.

— Эту рыжую нахалку?

— Ее! И представь себе, тут просто любовь с первого взгляда! Причем во втором поколении.

— Что за бред?

— Оказалось, что Захаркин папа крутил роман с Риткиной мамой.

— Захар, он не брешет?

— Нет. Вот какие бывают встречи...

— И тебе она понравилась?

— Очень!

— Она, конечно, красивая, зараза, но я ее не люблю.

— А тебе зачем ее любить? — засмеялся Семен.

— Да ну, она хищница. Дикая кошка.

Кошка! Вот кого ему напомнила Рита. У них в доме жила кошка, трехцветная, очень красивая, Наглая морда, звала ее бабушка, не чаявшая в Стешке души. Кошка была в высшей степени независимая, не терпевшая никакого насилия, привередливая и невероятно грациозная.

— Да, Тина, ты права... Семка, ты помнишь нашу Стешку? Рита на нее похожа.

— А ведь верно, есть что-то общее. Помню, она дрыхла на кресле, я ее мимоходом погладил, как она взвилась, разодрала мне руку, укусила... Та еще была стервоза. Ты будь поосторожнее, братишка!

Утром, когда Захар проснулся, в доме уже никого не было, кроме Розалии Борисовны, матери Тины.

— Захар, мне сказали, что в девять вы должны выехать.

— Совершенно верно!

— Даю вам четверть часа на гигиену и жду на кухне. Да, Сема вот тут вам оставил бритву.

— Спасибо! — засмеялся Захар.

Электробритва Семена оказалась просто идеальной. Надо купить точно такую же, подумал Захар. Я почему-то не волнуюсь перед встречей с Ритой, просто чувствую себя ужасно счастливым...

Ровно в девять Захар вывел машину с подземной стоянки и у ворот увидел Риту. Моя, подумал он. Всю жизнь такую ждал. И сам себе удивился. Обычно перед встречей с понравившейся женщиной он всегда слегка волновался, а сейчас чувствовал просто спокойную радость. И я не буду спешить, сказал он себе, если она действительно моя, никуда от меня не уйдет.

Он хотел выйти из машины, но она махнула рукой и скользнула на сиденье рядом с ним, деловито пристегнулась.

— Привет, Захар! С добрым утром, хотя, похоже, сегодня будет жарко. Ты водой запасся? В Израиле надо много пить.

— Да, я в курсе. Как спалось?

— Отлично! Поедем по навигатору?

— Ну да.

— Тебе привет от моей мамы.

— От мамы? — удивился Захар.

— Да. Я говорила с ней и не могла не сказать, что познакомилась с сыном дяди Леши.

— Понятно. А скажи, это был серьезный роман?

— Да. Они любили друг друга. А ты ничего не знал?

— Нет, я знал, что у отца были женщины, но подробнее нет...

— Ясно. Ты не был близок с отцом?

— Не сказал бы. Но...

— Ну конечно. Женщины с дочками бывают куда откровеннее, чем мужчины с сыновьями... А если бы они поженились, мы бы с тобой были сводными братом и сестрой.

— В самом деле! А ты не знаешь, почему они не поженились все-таки?

— Нет, не знаю... Вроде даже собирались, но... нет, точно не скажу. Но ты сможешь спросить у мамы. Она приглашает тебя в гости.

— Уже?

— Да, мы с ней такие... быстрые, — засмеялась она.

— Я уже заметил, — улыбнулся он.

— И могу иногда задавать бестактные вопросы. Если получится уж слишком бестактно, ты меня осаживай, ладно?

— Ладно!

— А я так и не поняла, ты у кого здесь гостишь?

— Вопрос уже немного бестактный, — рассмеялся он, — но я отвечу. У женщины, которая произвела меня на свет.

— Блин! Это у матери? А ты не хочешь ее так называть? Да, я вспомнила, она же бросила тебя. Так зачем ты приехал? Она раскаялась?

— Кажется, да. Но у нее недавно умер муж, она просила приехать... И, знаешь, я не жалею... Иначе я бы тебя не встретил. Да и вообще... Все не так однозначно, как кажется в детстве и юности.

— А ты раньше ее видел?

— Да, она дважды приезжала в Москву встретиться со мной и ужасно тогда мне не понравилась, а сейчас... Это немолодая, очень красивая и очень грустная женщина. Похоже, она любила своего мужа и, кажется, готова любить сына...

— А сын не готов?

— Сказать по правде, нет. Не готов. Мы чужие. У нее очень красивый дом, но в этом доме нет ни одной книги... Для меня это абсурд.

— Да, понимаю. Но тебе ее жалко?

— Жалко.

— А почему ты не остановился в гостинице?

— Я остановился в гостинице, но она умолила меня перебраться к ней.

— А ты кто по профессии?

— Биофизик.

— О! И занимаешься нанотехнологиями?

— Откуда ты знаешь? — поразился он.

— Тверитиновы всегда на передовых рубежах науки!

— Ох ты господи, — фыркнул он.

— Знаешь, я очень болтливая, если тебе надоест, просто скажи «ша, Ритуля», и я заткнусь. Хотя ты для этого слишком хорошо воспитан и, кстати, бритый ты куда лучше!

— Ша, Ритуля! А теперь я хочу кое-что о тебе узнать!

— Спрашивайте — отвечаем!

— Ты была замужем?

— Даже два раза. Но уже два года свободна как птица и замуж не хочу! Детей у меня нет, живу с мамой, у мамы есть хахаль, я у нее единственная дочка...

— А у тебя же вроде есть брат?

— Двоюродный. Кузен Эдик! Кстати, прекрасный хирург. Если возникнут проблемы с простатой, только к нему!

— Ну, ты даешь!

— Это было бестактно?

— Да нет, поскольку пока таких проблем не возникало, бестактность не так уж велика.

— Что еще тебя интересует?

— Знаешь, у меня море вопросов, но я предпочитаю сам приходить к каким-то выводам.

— А если они будут неверны, твои выводы?

— Ничего, я привык, если вывод был неверным, ставим новый опыт...

— Ах да, ты же ученый муж... А можно мне задать еще вопрос, я же адвокат, мне надо докопаться до всего при помощи вопросов.

— Валяй!

— Ты живешь один?

— Нет, я живу с дедом.

— Академиком?

— Да. Он старый, но еще бодр духом и телом. И к нам приходит женщина убирать и готовить.

— И у вас такая огромная запущенная квартира с несметным множеством книг...

— Да, квартира и в самом деле большая. Но она вовсе не запущена, мы после смерти бабушки продали дачу и привели квартиру в порядок. Но книг и в самом деле много.

Они замолчали.

Вдруг Рита крикнула:

— Захар, остановись, давай посмотрим!

Он затормозил.

— На что ты собралась смотреть?

— А вон, видишь, трамплин! Глянь, прыгун с трамплина в одних трусах! Смех да и только!

Захару это вовсе не показалось смешным. Ну прыгают люди с трамплина... Большое дело!

— Ладно, поехали, ты, я вижу, кайфа не словил.

— Извини.

— Да ладно... Ты первый раз в Израиле?

— Да. А ты?

— А я каждый год сюда мотаюсь. Мне тут жутко нравится. Скажи, а ты животных любишь?

— Очень. Особенно кошек.

— И я.

— Знаешь, ты мне очень напоминаешь нашу кошку Стешку. Она прожила у нас двадцать лет.

— Рыжая?

— Нет, трехцветная. И очень красивая.

— Польщена, — засмеялась Рита.

Они довольно долго молчали, каждый думал о своем.

Кенгуру были прекрасны. Небольшие, серенькие, очень общительные. При входе на территорию заповедника посетителей предупреждают — не подходить к животным сзади и не трогать сумку, а гладить и кормить сколько угодно, но кормить только специальным кормом. Для этого в автомат надо сунуть один шекель, и в ладонь высыпается порция приятно пахнущего травой сухого корма. Кенгуру с удовольствием слижут его с ладони.

— Ой, Захар, какие они милые, просто прелесть! Смотри, смотри, у нее в сумке кенгуренок, господи, с ума сойти! Какой кайф! Захар, сними меня!

Она протянула ему свой айфон, обняла кенгуру. На лице ее было написано такое удовольствие... Она вся светилась. Вторая светящаяся Рита, отметил Захар и снял ее еще и на свой телефон.

— Давай теперь я тебя сниму!

И вдруг откуда-то явился совсем другой, рыжий и очень большой кенгуру. Он был стар. И важен.

— Ой, какой! — с уважением взглянул на него Захар. — Я бы назвал его Кен Гурион!

— Это как Бен Гурион? — расхохоталась Рита. — Здорово! Люблю остроумных мужиков.

Эта похвала доставила ему огромное удовольствие.

— Так, а где обещанные коалы? — вспомнила Рита. — Так хочу потрогать коалу...

Но потрогать коалу не удалось. Здесь их было три. Они сидела в вольере на искусственных деревьях. Один спал, а два других непрерывно жевали листья эвкалипта. Как раз в этот момент служитель принес им охапку свежих эвкалиптовых веток. Оказалось, он говорит по-русски. Рита спросила его:

— Скажите, а ведь они, кажется, едят какой-то определенный вид эвкалипта, не абы какой?

— Совершенно верно! Этот заповедник подарил Израилю один австралийский еврей при условии, что тут будет посажена эвкалиптовая роща, чтобы прокормить коал. Австралия очень внимательно следит за коалами. Если вдруг коала умрет не в свой срок, тушку надо отправить в Австралию, и если там сочтут, что он умер от неверного ухода за ним, нам больше коал не поставят. Но такого у нас, слава богу, пока не было.

— Вон как! — поразилась Рита.

Служитель ушел.

— Они мне не нравятся! — капризно заявила Рита. — Бессмысленные какие-то. Мордашки у них симпатичные, слов нет, но какая от них радость? Кенгуру куда милее!

— Согласен. Скучно на коал смотреть.

Заповедник был совсем небольшой. Там было еще несколько страусов, два павлина, кролики, две овцы, загончик с летучими мышами и несколько восхитительно красивых попугаев.

А меж тем стало очень жарко.

— Может, поедем уже? — сказала Рита.

— Давай. Ты не проголодалась?

— Нет пока. Хочу в машину с кондиционером.

— Я включу, но ненадолго, иначе...

Она не дала ему договорить.

— Да, я тоже не люблю кондиционеры. Просто сейчас в машине будет как в топке. А потом на ходу откроем окна.

С ней просто, с удовольствием подумал Захар.

Через час они заехали в арабский ресторанчик, где им подали удивительно вкусные кебабы, штук десять мисочек с острыми закусками и чудесные лепешки.

— Вкусно! — проговорила Рита. — Только вот эти штуки такие острые, ужас просто!

— Надо заказать чай... И лучше зеленый.

— Ненавижу зеленый чай! Я хочу кофе!

— Чай снимет это жжение во рту. А кофе потом выпьем.

— Ладно, попробую. Буду пить зеленый чай как лекарство, а кофе попьем в другом месте. И с мороженым.

— Годится. Я в восторге от такой определенности желаний!

Она с каждой минутой все больше нравилась ему. Да что там, он был уже влюблен по уши.

Кофе они пили в маленьком городке под названием Зихрон Яков, где центральная улица напоминала любой европейский городок Средиземноморья.

— Ну, куда двинем дальше? — спросил Захар.

— Отвези меня в Ришон, а сам езжай к матери.

— Хочешь от меня поскорее избавиться?

— Нет. Отнюдь.

— Послушай, а давай поедем туда вместе?

— Да не стоит. Она меня сразу невзлюбит.

— С чего ты взяла?

— Мне так кажется. Нет уж. Мы послезавтра улетаем. Давай до отъезда не будем встречаться. У меня еще есть тут кое-какие обязательства, ты побудь с матерью, и мы оба разберемся в своих чувствах.

— Да я, собственно, в них уже разобрался. Просто не думал...

— Что?

— Что у тебя есть какие-то чувства... в которых надо разбираться?

— Ты тупица, Захар! — засмеялась она. — Ты мне понравился с первого взгляда... А теперь и вовсе... Короче, надо разобраться!

Он затормозил. Повернулся к ней. Протянул руку, чтобы погладить ее по щеке, она отстранилась. Он отдернул руку.

— Вот этого пока не нужно, — пояснила она. — Пока я не разобралась. А то я девушка горячая, могу глупостей наделать.

— Каких глупостей, ты же не девочка уже.

— Девочкой я была не такой горячей... — засмеялась Рита.

— Ты нарочно меня заводишь? — вдруг охрип он. Схватил ее и поцеловал.

Она ответила, но тут же оттолкнула его.

— Ты здорово целуешься, я уже хочу с тобой спать... Но давай отложим до Москвы. Я не могу сегодня.

— А, понял. Ну ты и зараза!

— А твой дедушка-академик позволяет тебе называть девушек заразой?

— По этому поводу указаний не было. С девушками я веду себя по своему усмотрению.

— Мне нравится такое усмотрение.

— Рита, ты доиграешься!

— Все, молчу!

Она и в самом деле замолчала.

Наверное, она права, подумал Захар. В самом деле не надо спешить.

Он довез Риту до дому, поцеловал на прощание руку.

— Значит, встретимся в аэропорту. Я теперь буду звать его Кен Гурион! Пока, Захар!

Он хотел выйти из машины, но она уже выскочила и крикнула:

— Езжай!

Он позвонил матери.

— Алло, я сейчас еду к вам.

— Жду! — обрадовалась она.

— Захар, ты что, влюбился? — встретила она его вопросом.

— С чего вы взяли? — удивился он.

— Да на тебе написано... Я такие вещи сразу вижу... И кто она?

— Вы ошибаетесь. Просто я в восторге от этого заповедника с кенгуру.

— Не хочешь говорить? Понимаю. Ты обедал?

— Да. Я, пожалуй, пойду искупаюсь.

— Конечно, сходи. Сегодня волны не очень большие.

Он переоделся и побежал на пляж, благо он был совсем рядом. Вода блаженно освежала. Он поплыл, и вдруг его осенило: а ведь своим знакомством с Ритой я целиком обязан Инге Вячеславовне. Я ведь мог никогда ее не встретить. И то, что Рита дочь подруги отца... Все это не случайно. Это уже выстраивается цепочка. Если бы Семка не позвонил в Москву, если бы мы в Иерусалиме зашли в другой ресторан... а главное, если бы я не приехал сюда, к матери... И еще — если бы в Домодедове я не встретил ту Риту... А при чем здесь та Рита? А при том, что она пробила в душе какую-то брешь. Я вдруг стал чувствительным, даже, можно сказать, сентиментальным, что мне в общем-то несвойственно, как, впрочем, и все эти мысли. Он радостно рассмеялся. И не стоит дуться на мать... Да, она была никудышной матерью, но я же не сиротой казанской вырос... И любви мне хватало, и тепла, и заботы. А она на старости лет осталась совсем одна. И пусть я не люблю ее, но по крайней мере я не должен ей хамить, как давеча... У меня в машине нет места! Сволочь я. Она, конечно, обиделась, но считает, что поделом вору и мука? Жалко ее...

Он вылез из воды и побежал в дом.

Мать с махровым полотенцем в руках вышла ему навстречу.

— Спасибо! — улыбнулся он ей и стал вытираться.

И она расцвела от его улыбки.

— Хочешь чаю?

— Хочу, спасибо!

— Переоденься и приходи.

Через пять минут он спустился и вышел на балкон

— Как тебе идет, когда ты бритый! Ты ходишь в спортзал? У тебя красивый торс. Как у твоего отца.

Он опять улыбнулся.

К чаю она подала какой-то фантастически вкусный кекс с орехами и сухофруктами.

— Вы это сами пекли?

— Ну конечно. Нравится?

— Очень. Я возьму еще кусочек.

— Бери, бери, мне только в радость.

— Я хотел попросить прощения...

— Ты? За что?

— За хамство.

Она не спросила, какое хамство, кивнула:

— Я сама виновата, не надо было лезть... И я не сержусь. Ну, как там кенгуру?

— О, это восторг! Даже не думал...

И он стал рассказывать ей о кенгуру и коалах.

— А ты там не фотографировал?

Он замялся.

— На снимках твоя девушка, да? Не хочешь мне показать?

— Она не моя девушка, просто... Вот, посмотрите! — Он протянул ей айфон. Интересно, что она скажет о Рите.

— Красивая какая... Рыжая... С характером... Она не израильтянка?

— Нет. Москвичка.

— Она тебе подходит... Чем она занимается?

— Адвокат по уголовным делам.

— Такая красавица... По уголовным делам... Это же, вероятно, опасно?

— Не знаю, может быть...

— Ты не хочешь привезти ее сюда? Мне бы хотелось с ней познакомиться. Или я опять лезу не в свое дело?

— Да нет, это как раз нормально... — улыбнулся он. — Но мы договорились, что до отъезда уже не увидимся.

— До чьего отъезда?

— До нашего. Оказалось, мы летим одним рейсом.

— Захар, а ты... позволишь мне проводить тебя в аэропорт? Заодно и познакомишь нас...

— А почему бы и нет? — улыбнулся Захар. Сейчас он был готов любить весь мир.

Господи, господи, неужто ты услышал мои молитвы? — подумала пожилая женщина.

Народу в аэропорту было множество, и очередь на московский рейс стояла изрядная.

— Вы где договорились встретиться с Ритой?

— Да мы как-то не договаривались... Летим одним рейсом.

— Тогда сделаем так: встанем в очередь, тебе может понадобиться моя помощь... ну...

с ивритом... У нас таможенники очень строгие, к любому пустяку придраться могут, а если появится Рита, мы ее вперед пропустим.

— Да, пожалуй, это будет правильно.

— Захар, я вижу, ты хочешь курить. Тогда выйди вон в те двери, покури и возвращайся. Может, и Риту перехватишь...

Эта материнская забота в первое мгновение вызвала раздражение, но оно тут же сменилось благодарностью. Она была не нарочитой, а совершенно естественной. Ну надо же!

Он пошел курить. А Инга Вячеславовна вдруг заметила яркую рыжеволосую девушку, которая озиралась по сторонам, словно ища кого-то.

— Простите, вы Рита? — спросила Инга Вячеславовна.

— Да, — удивилась девушка. — А вы...

— Я мама Захара... Он пошел курить. Идите сюда, вставайте вперед.

— Ох, спасибо! А как вы меня узнали? А, наверное, видели снимки с кенгурушками?

— Да. Будем знакомы. Инга.

— Рита! Какая вы красивая, Инга!

— Спасибо. — Вы, Рита, настоящая красавица... А вон и Захар идет!

— О, привет! Вы уже познакомились? Но как?

— Твоя мама меня узнала.

Инга взглянула на нее с благодарностью.

В самом деле, она помогла им обоим объясняться с парнем, который задавал им дежурные вопросы. Как выяснилось, Рите не удалось забронировать им места рядом, но Инга объяснила это девушке на регистрации рейса, и та пообещала — если будет возможность, их все-таки посадят рядом.

— Инга, спасибо вам огромное, вы так помогли...

— Да, спасибо, большое спасибо, — поддержал Риту Захар.

— Да ерунда... ладно, ребята, я, пожалуй, поеду.

— Погодите, у нас еще много времени, давайте попьем кофе... — предложила Рита.

— Нет, мне пора! Захар, спасибо тебе. Мне твой приезд очень помог. Очень! И еще раз прости за все...

— Я рад, что помог... что приехал... И вообще. Хорошо, что вы меня позвали.

— Можно я тебя поцелую?

И, не дожидаясь разрешения, она встала на цыпочки и расцеловала его. Как ни странно, ему это было приятно.

Она ушла.

— Она просто невероятная красавица, твоя мама. В таком возрасте... И вообще, она мне понравилась. Но ты ни разу не назвал ее мамой.

— Не могу пока, не выговаривается. Но я стал относиться к ней гораздо лучше.

Как странно и хорошо — он сидит рядом. Он так мне нравится... И в нашей встрече есть несомненно предопределение судьбы. Он сын дяди Леши... Я ведь девчонкой была даже слегка в него влюблена, глупо, по-детски, ревновала маму к нему и его к маме.

Даже каверзы какие-то устраивала. Знала, что они вечером собираются куда-то вместе, притворилась больной, нагрела градусник до тридцати восьми и пяти, больше, я понимала, мне просто не поверят, мама позвонила дяде Леше и отказалась от встречи, а я, идиотка такая, торжествовала. Дура малолетняя! А вот теперь Захар... Захар Алексеевич... Он не такой красивый, как отец, но в нем есть и обаяние, и чувство юмора, и вообще... Он очень мне нравится, просто очень-очень! Наверное даже я влюбилась... А до чего же красива его мать... А еще я, кажется, вела себя с ним слишком развязно и нахально. Надо быть посдержаннее, его такая манера может отпугнуть... Хотя нет, надо быть самой собой, а не строить из себя пай-девочку.

— О чем задумалась? — спросил Захар.

— О странных совпадениях.

— А...

— Скажи, Захар, у тебя есть... постоянная подруга?

— Есть. А что?

— Я ревную.

— С чего бы это?

— А ты не понимаешь?

— Нет.

— Серьезно?

— Рита, ты чего от меня ждешь? Что я скажу — она уже в прошлом? И я весь твой? Так?

Тон у него был отнюдь не шутливый.

— Да ладно, я пошутила.

— Ты же сама говорила — не будем спешить.

— Ну да...

Откуда вдруг возникло это отчуждение?

Захар подумал о том же. А, я понял... Это привычка шарахаться от назойливых баб. Но разве она назойлива? Да нет. Она нормальная женщина, любопытная и чуткая, чувствует, что я уже попался в ее сети... И что? Можно уже лезть в мою личную жизнь? Нет, нельзя расслабляться ни на минуту. Она, конечно, очень хороша, но надо держать дистанцию.

— Захар, я предупреждала, что бываю бестактной. Прости меня. Я не буду больше задавать тебе вопросов про личную жизнь. Честное слово!

— Договорились, — улыбнулся он.

Улыбка у него чудесная...

В Домодедове Захар спросил:

— Тебя будут встречать?

— Вряд ли.

— Я возьму такси и отвезу тебя. Ты где живешь?

— Нет, Захар, спасибо, я... сама... Вызову машину. Зачем тебе делать такой крюк? Ты, я знаю, живешь на Ленинском, а я на Соколе.

— В самом деле, другие края... — как-то сухо произнес он. — А я тогда, пожалуй, поеду экспрессом до Павелецкой, а у тебя багаж... Я посажу тебя в машину.

— Спасибо.

Они уже получили багаж, Рита заказала такси. Ей очень быстро пришла эсэмэска, что машина ждет.

— Идем, Захар!

— Да-да!

Он взял ее чемодан.

— Что ты туда набила?

— Да всякое, в основном кремы, маски... Обожаю израильскую косметику... И мама тоже.

— Рита! — окликнул ее высокий мужчина в кожаной куртке.

— Арсений? — удивилась она. — Ты что здесь делаешь?

— Догадайся с трех раз! Тебя встречаю!

— Но как ты узнал, когда я прилетаю?

— Надежда Игоревна сказала.

— Арсений, познакомься, это Захар Алексеевич Тверитинов.

— Тверитинов? Тот самый?

— Что, значит, тот самый? — крайне удивился Захар.

— Вы биофизик?

— Да.

— Очень, очень рад! Вот так удача!

— Арсений, что это значит? — удивилась Рита.

— Простите, я не представился! Арсений Белолицый, журналист.

— Белолицый? Это такой псевдоним? — вздернул бровь Захар.

— Отнюдь! — добродушно рассмеялся Арсений. — Это моя родная фамилия. Так вот, мне поручено написать о вас статью в журнале «Сноб».

— А что, есть такой журнал? — искренне удивился Захар. — Зачем же я понадобился такому журналу? Я, вроде бы, не сноб.

— Но вы ученый с мировым именем... Прошу вас, Захар Алексеевич, я делаю хорошие статьи, скажи, Рита!

— Да. У него бойкое перо. Советую согласиться, у него не только перо хорошее, но и когти. Так вцепится, что лучше согласиться. Тот случай, когда лучше дать, чем объяснить, почему не хочется, — засмеялась Рита.

Захар поморщился.

— Захар Алексеевич, я убедительно прошу вас согласиться, это будет хороший пиар.

— Зачем мне пиар? — раздраженно бросил Захар.

— Чтобы привлечь внимание к вашей работе.

— Внимание праздной публики? Увольте! Рита, я оставляю тебя в надежных руках. Всего доброго!

И он ушел.

— Ну и тип! — проговорил Арсений.

— Понимал бы ты что-нибудь! — огорчилась Рита.

— Это что, большое и светлое чувство? А как же я?

— А ты — маленькое и довольно-таки темное.

— Обожаю твой юмор. Ладно, поехали. Но я его дожму!

— Кто бы сомневался.

— Ритуля! Ты изумительно выглядишь! — обрадовалась мама. — Впрочем, как всегда после Израиля. Тебя Арсюша привез?

— Мамочка, зачем ты ему сказала, когда я прилетаю?

— А не нужно было? Почему?

— Потому что... Он все испортил.

— Что? Что он испортил? — всполошилась Надежда Игоревна.

— Мамочка, ты не представляешь... Я влюбилась как ненормальная... А Арсений...

— Постой, в кого ты влюбилась? Он что, прилетел с тобой?

— Да.

— Но кто он такой? Израильтянин?

— Нет, мамочка, это... Захар Тверитинов!

— Кто?

— Захар Тверитинов.

— С ума сойти!

— Мама, он такой...

— Ну, если он похож на своего отца, то я тебя понимаю...

— Внешне не очень, но обаяние... И вообще...

— А он? Он тоже влюбился?

— Да вроде бы с первого взгляда.

— И вы уже?..

— Нет. Мы решили, что не будем спешить.

— На тебя это не похоже, Ритуля, — улыбнулась Надежда Игоревна. — Ты голодная?

— Нет.

— Тогда рассказывай. Я умираю от любопытства.

— Что рассказывать?

— Как вы познакомились.

Рита рассказала.

— Значит, он поехал к матери... — задумчиво проговорила Надежда Игоревна.

— Ну да. Она такая красивая!

— Да, Леша всегда говорил, что не видел женщины красивее. А я обижалась, ревновала. А знаешь что, девочка моя... Не стоит вязаться с этим Захаром.

— Почему?

— Эти Тверитиновы... Леша так меня измучил... Я надеялась, что мы поженимся в результате, хотела от него ребенка... И что? Осталась у разбитого корыта. Они же однолюбы, эти Тверитиновы. Захару сейчас лет тридцать пять...

— Тридцать шесть.

— Он был женат?

— Говорит, что не был.

— Ну уж какая-нибудь любовь наверняка была...

— Знаешь, я спросила, есть ли у него постоянная женщина, а он вдруг разозлился, замкнулся...

— Рита, ну нельзя задавать мужчинам такие вопросы, тем более, что ты пока не его женщина.

— Понимаешь, мамочка, мне именно показалось, что я его женщина. Ты не представляешь, как он на меня смотрел... Я бы загладила свою бестактность, если это была бестактность, как нечего делать, а тут вдруг появился Арсений, начал приставать к Захару, дайте ему интервью для журнала... Тот разозлился и ушел.

— Да, Леша тоже как черт от ладана шарахался от журналистов.

— Знаешь, мама, я ему наврала, что рассказала тебе по телефону о нашей с ним встрече и что ты зовешь его в гости...

— Господи, зачем?

— Сама не знаю.

— В принципе, я бы хотела, чтобы он к нам пришел. Интересно на него посмотреть. Ты его телефон знаешь?

— Конечно.

— Вот ты и позвони ему, но не раньше, чем послезавтра.

— Почему?

— Пусть думает, что обидел тебя. И терзается.

— До послезавтра?

— Да. Этого довольно.

Ненавижу журналистов! И как она могла связаться с таким? Он явно ее любовник. Фу! Хотя с точки зрения экстерьера там все в порядке. И кстати, он ей больше подходит, чем я... Да и она мне не пара! Эдакая гламурная адвокатесса... Красивая... Да, очень. Странно, конечно, что ее мать была с моим отцом... Ну и что? Я же не обязан... И она подозрительно быстро нашла общий язык с Ингой Вячеславовной. Наверное, такая же... Когда матери рядом не было, возвращалась привычная обида на нее. Глупо, конечно.

На Павелецком вокзале он взял такси. Время было уже позднее, и доехали быстро. Дед, скорее всего, уже спит. Но едва он открыл дверь квартиры, как в прихожую выглянул дед.

— Захарка! Приехал! Дай обниму тебя! Ты голодный?

— Да нет. Только чаю хочу.

— Идем, Вера Борисовна испекла твой любимый пирог. Садись, я включу чайник и сам заварю чай...

— Ох, дед, как я рад, что вернулся!

— Рассказывай, как там Инга?

— Знаешь, мне минутами было ее жалко.

— Это правильно, мой мальчик. Она в сущности ведь совсем неплохая... Это бабушка твоя ее ненавидела.

— Знаешь, она сказала, что ей было очень тяжело в нашем доме.

— Если помнишь, я тебе это говорил. Она была чужой... бабушка ее здорово гнобила, как теперь говорят. И Аглаша, поначалу она радовалась, что Лешка женился на ней, а потом перешла на сторону бабушки, а я... Я был слишком занят. К тому же, когда я пытался ее защищать, твоя бабушка набрасывалась на меня с абсурдными обвинениями, будто я вообще снохач...

— Вот даже как! — рассмеялся Захар. — Знаешь, она до сих пор невероятно красива. И, похоже, по-настоящему любила своего последнего мужа. Но пропасть между нею и нашей семьей я осознал, увидев, что в ее очень элегантном доме нет книг, только кулинарные. Кстати, готовит она фантастически. И похоже, раскаивается искренне.

— А какой помощи она от тебя хотела?

— Никакой конкретной. Просто через неделю после похорон мужа захотела побыть с сыном...

Дмитрий Захарович ласково потрепал внука по плечу.

— Я рад, что ты так к ней отнесся. Мне всегда казалось, что ее вина не столь уж велика...

— Нет, дед, ее вина велика... Но я уже способен ее простить. Я как-то вечером приехал, а у нее в гостиной на диване спит мальчишка лет шести, соседка подкинула на вечер. И она была с ним так нежна... даже пела ему какую-то песенку на иврите... И меня такая вдруг ревность одолела и обида... Но потом я сказал себе — ты взрослый мужчина, а она уже старая одинокая женщина и свою материнскую нежность не успела за жизнь растратить...

Дмитрий Захарович ласково улыбнулся.

— Захарка, ты... Я рад. Ты все правильно рассудил.

— И спасибо тебе, дед, что ты настоял на этой поездке. Я многое понял и узнал...

— Захарка, больше ты мне ничего рассказать не хочешь? По-моему, что-то еще там произошло? Ты встретил девушку?

— Ну, вообще-то я встретил двух девушек, и обеих зовут Рита, — рассмеялся Захар. — Но говорить тут не о чем.

— Ну, не о чем так не о чем! Что у тебя завтра?

— С утра лекции. А потом в лабораторию и до самого вечера. Я так уже соскучился по работе... Не умею я отдыхать больше трех дней.

— Тогда ступай спать. И я пойду.

На время лекций Захар всегда отключал телефон. После лекций, как правило, скапливалось множество звонков. Вот и сегодня... Однако его обступили студенты, забросали вопросами. Ему это нравилось. Значит, им было интересно.

Особенно его радовал студент Извеков. На редкость пытливый и умный парень. Он частенько задавал ему вопросы, отвечать на которые Захар очень любил. Но сегодня Извекова не было.

— Ребята, а где Извеков? — спросил он.

— Заболел.

— Грипп?

— Ну, наверное...

В этот момент в дверь аудитории просунулась взлохмаченная башка студента Долгова.

— Захар Алексеевич, вас там спрашивают...

— Кто?

— Какая-то гирла́!

— Долгов, что за выражение! — улыбнулся Захар.

В коридоре у окна спиной к нему стояла девушка.

— Простите, вы меня искали?

Она обернулась. Он обомлел. Это была Рита, первая Рита.

— Вы? Как вы меня нашли?

— Ох, какое совпадение... Извините, что я тогда удрала. А вы профессор Тверитинов?

— Да.

— А я сестра Илюши Извекова.

— И что с ним такое? Что вас привело ко мне? — встревоженно спросил Захар.

— Илья просил передать вам вот эту тетрадь.

— Что это?

— Я не понимаю, но он говорит, это очень важно. Тут какие-то его расчеты, что ли... А он... — она всхлипнула.

— Да что с ним такое?

— Он в больнице. У него... инфаркт...

— Инфаркт? — поразился Захар. — В двадцать лет?

— Да.

— Господи помилуй! Но отчего? Что-то случилось? Или у него больное сердце?

— Нет. Говорят, такое бывает от перенапряжения... Захар Алексеевич, умоляю вас, посмотрите эту тетрадь и, даже если это полный бред, подбодрите его как-то...

— Послушайте, Рита, я, разумеется, посмотрю тетрадь, но не сию минуту. На ходу это невозможно. Я сейчас должен ехать в лабораторию, а вечером непременно посмотрю, но я просто уверен, что это не бред. Илья мой лучший студент, на редкость способный, я бы даже сказал, талантливый парень, так ему и передайте. Или он в реанимации?

— Нет, уже в палате...

Он положил тетрадь в кейс.

— Извините, Рита, мне пора...

— Захар Алексеевич, а вы... Вы на меня сердитесь?

— Сержусь? С какой стати мне на вас сердиться?

— Что я сбежала...

— Рита, побойтесь Бога! Вы нуждались в поддержке, я вам ее оказал, только и всего.

Он быстро шел по коридору, она с трудом за ним поспевала.

— Захар Алексеевич, а вы... не могли бы как-нибудь заглянуть к Илюшке в больницу? Он был бы счастлив! Он вас просто боготворит!

— А где он лежит?

— В Первой Градской.

— О, это совсем рядом с моим домом. Непременно зайду. Только не сегодня. Вот как прочту тетрадку, так и навещу Илью. А сейчас передайте ему от меня привет. Да, кстати, у вас с братом разные фамилии...

— Мы от разных отцов.

— Понял.

Он подошел к своей машине.

— Вам в какую сторону? — спросил он.

— Нет, спасибо, я тоже на колесах. Вы очень хороший человек, Захар Алексеевич, и жизнь второй раз посылает мне вас, когда мне плохо... Спасибо!

Она ушла. На сей раз она ему совершенно не понравилась. И даже не вызывала сочувствия. Он прислушался к себе. А та, вторая Рита, в которую я вроде как влюбился без памяти... Сердце слегка екнуло при воспоминании о ее дивных рыжих кудрях. Позвонить ей, что ли? Я вчера был не слишком любезен. Нет, не буду, я сегодня слишком занят.

Конечно, он попал в пробку. Хотел позвонить Рите, но тут вспомнил об Илюшкиной тетрадке. Посмотрю, пока торчу тут... Он достал тетрадь из кейса и вскоре забыл обо всем. С ума сойти, какая свежесть мысли, какой неожиданный и, казалось бы, просто немыслимый подход, как интересно!

Пробка все не рассасывалась. Ему позвонили из лаборатории.

— Захар Алексеевич, вас сегодня ждать?

— Да, я просто застрял в пробке, намертво, но как только, так сразу.

И он опять углубился в чтение. Конечно, многое еще сыро, некоторые положения просто абсурдны, но мальчишке всего двадцать лет... Он, по-видимому, гений, этот Илюша Извеков. Наконец движение возобновилось. Если парень, бог даст, поправится, его ждет большое будущее в науке. А может, взять его на полставки в лабораторию? Нет, ему надо учиться, а после инфаркта он учебу и работу не потянет. Завтра же пойду к нему.

— Захар, с приездом! — приветствовал его Димс, друг и заместитель. — Чего сияешь? Нешто влюбился?

— Нет, Димс, не влюбился! Просто один мой студент оказался обыкновенным гением...

Рита вышла из ворот Матросской Тишины очень расстроенная. Ее клиент, обвиняемый в тяжком преступлении, которого он явно не мог совершить, был тяжело болен. Ей стоило немалых трудов добиться его перевода в тюремную больницу. Следствие велось черт знает как, и, похоже, целью следствия было засадить ее клиента всерьез и надолго. А он может даже не дожить до суда, что следствию было бы только на руку. Правда, после сегодняшнего разговора с обвиняемым у нее появился лучик надежды. Ему было так плохо, что он проговорился... Эту версию надо отработать... После посещения тюрьмы ей необходимо было поскорее попасть домой, смыть с себя тюремный запах. И только уже стоя под душем, она вспомнила о Захаре. Захотелось скорее позвонить ему, услышать его голос. У него очень красивый голос... А плевать мне на все заморочки — рано, не рано. Она накинула халат и схватила мобильник.

— Захар? Привет.

— Привет, но я сейчас не могу говорить, извини, бога ради! Я в лаборатории. Как освобожусь, позвоню.

И он отключился.

Черт, а мне так надо было с ним поговорить... И, кстати, особой радости в его голосе не было. С другой стороны, в лаборатории наверняка он не один, а при сотрудниках особо ликовать он не станет. И все равно обидно. А может, его женщина с ним работает? А тут я... ладно, поживем — увидим.

Он позвонил уже после десяти вечера.

— Рита, извини, я просто не мог говорить... Ты что-то хотела мне сказать?

— Да нет... Только хотела услышать тебя. У меня был тяжелый день.

— Ну, извини.

Голос звучал сухо.

— Я устала, Захар. И хочу спать.

— Доброй ночи.

И он повесил трубку.

Что за черт! А ведь он больше не позвонит... Да, скорее всего, эта его баба работает вместе с ним, он ее начальник, и она привыкла ему подчиняться, жить, ориентируясь на его привычки, а я о них вообще ничего не знаю...

Устала она! Обидчивая, стало быть. Значит, дура! А зачем мне дура? Да, она очень красивая, но к красоте быстро привыкаешь, перестаешь ее замечать, а с дурой чем дальше, тем хуже. Значит, к чертям и ту и эту Риту. Не мое, видно, имя. Ну и к лучшему!

Серия опытов, проведенных в его отсутствие, показала, что направление выбрано верно, и это радует.

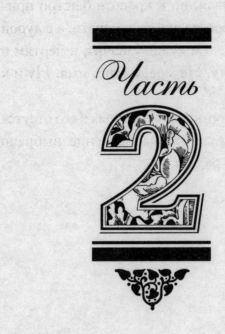

Часть

2

— Ну что ж, Маргарита Сергеевна, бывает! Примите мои соболезнования, — с ехидной усмешечкой проговорил прокурор. — Сдается мне, это ваш первый проигрыш?

— Да! А вы и рады? Засадить невиновного человека на десять лет — милое дело! — с трудом сдерживая ярость, выдавила из себя Рита.

— Не все же вам победу праздновать! И он, ваш подзащитный, несомненно виновен, вам же не удалось доказать обратное. Всего наилучшего, госпожа Ольшанская!

А пошел ты, про себя сказала Рита.

— Будете подавать апелляцию?

— Не сомневайтесь, обязательно подам.

— Да без толку!

— Это мы еще посмотрим.

— Зря хорохоритесь, госпожа Ольшанская. Учитесь проигрывать с достоинством. Всех благ!

И он удалился, очень собой довольный.

Рита вышла из здания суда в состоянии близком к отчаянию. Как такое могло произойти?

Позвонил Арсений.

— Ритуля, может, встретимся?

— Ох нет! Надо домой...

— Неужели проиграла процесс? — странным образом догадался он.

— Представь себе, проиграла! Но я этого так не оставлю! Я землю с небом сведу, а его вытащу!

— Послушай, давай все-таки встретимся, ты мне все расскажешь, вдруг я смогу чем-то помочь? Как-никак, пресса многое может, четвертая власть все-таки.

— А в самом деле... Ладно, тогда через полчаса в нашем кафе.

Она села в машину и закрыла глаза. Надо несколько раз глубоко вздохнуть, чтобы не разреветься. В конце концов, рано или поздно это должно было случиться. Невозможно всегда выигрывать. Однако именно сегодня никак нельзя было проиграть. Это тот не слишком частый случай, когда я твердо убеждена в невиновности своего подзащитного. Его элементарно подставили... А вдруг Арсений и впрямь чем-то поможет? У него столько связей в самых разных кругах, в том числе и криминальных... И сейчас, с появлением Тверитинова, он будет землю носом рыть. Кажется, он меня любит и очень боится потерять... А Тверитинову, видно, головку напекло на израильской жаре, а как в Москву вернулся, быстренько охолонул. Ну и черт с ним!

Рита достала косметичку, привела в порядок лицо и прическу. Надо выглядеть на все сто, но с глубокой печалью во взоре...

Когда она добралась до «Венского кафе» на Рижской, Арсений уже ждал ее.

— Привет, красавица! Что, облом?

— Еще не вечер. Я подаю апелляцию.

— Валяй, рассказывай! Я уже заказал тебе венский шницель со спаржей и твои любимые блинчики с апельсином.

— Спасибо, Арсюша, очень мило с твоей стороны.

Ишь как старается, можно сказать, из кожи вон лезет!

— Рассказывай, Ритка, тебе легче станет.

— Пожалуй, ты прав! Так вот, меня наняла одна женщина, возлюбленная моего подзащитного, и она заявила, что ту ночь, когда было совершено преступление, убийство, этот человек, некто Гурьев, провел у нее. И я голову дам на отсечение, что она не врет. Показания ее и обвиняемого сходятся ровно в той степени, чтобы не вызывать подозрений в предварительном сговоре. Да у них и не было возможности сговориться. И я построила защиту именно на этом алиби...

— А она что, на суде отказалась от своих показаний? — догадался Арсений.

— Именно! Краснела, бледнела, кусала губы, прятала глаза, но твердо отказалась. Нормальный судья понял бы, что она врет, направил бы дело на доследование, а этот козел Бурмакин просто вынес обвинительный приговор. То ли его пробашляли, то ли ему так проще...

— А эта баба сама к тебе обратилась?

— Сама! Да еще как умоляла меня взяться за это дело, рыдала, клялась-божилась...

— А чем она мотивировала в суде отказ от прежних показаний?

— Тем, что она, дескать, поддалась на уговоры сестры возлюбленного подтвердить его алиби, а сейчас Господь ее вразумил... мол, она только на суде узнала, как было на самом деле. Она думала, там какая-то ерунда, а оказалось убийство с отягчающими, и покрывать жестокого убийцу Господь ей не позволяет.

— Вот же сука!

— Я ее спросила, зачем она это сделала. Молчит. Глаза прячет. Я думаю, ее заставили, запугали. Но надо было видеть лицо этого бедолаги, когда она несла всю эту чушь...

— А он вообще кто?

— Врач, военный хирург, причем классный, все говорят. А жертва была зарезана скальпелем.

— И ты уверена в его невиновности?

— Я — да!

— На каком основании?

— Перечисляю по пунктам: во-первых, интуиция, во-вторых, алиби. Я ни на секунду в этом алиби не усомнилась. В-третьих, личность обвиняемого.

— Ну, по крайней мере два пункта из трех все-таки достаточно субъективны и, следовательно, сомнительны.

— Какие?

— Интуиция и личность обвиняемого. Это чисто субъективные вещи, согласись. А вот алиби... Этот хирург ее любовник?

— Да.

— И тот факт, что она сама тебя наняла. Хотела бы с самого начала утопить мужика, не стала бы рыпаться. А вот скажи, у нее есть дети?

— Нет, детей нет. Я понимаю, к чему ты клонишь. Нет ни детей, ни стареньких родственников, она, как говорится, одна-одинешенька. Но чем-то ее все же запугали...

— Значит, надо заняться этой бабой, найти уязвимое место. Я этим займусь.

— Спасибо, Арсюша, я тоже не собираюсь сидеть сложа руки.

— Конечно, одно дело адвокат, и совсем другое — журналист. Пойдем разными дорожками, авось побольше узнаем. А в результате встретимся в одной точке.

— Надеюсь! И тогда я сумею посадить в лужу и Бурмакина, и Дубовика.

— А Дубовик кто?

— Прокурор. Редкая скотина! Это, Арсюша, все очень мило, но, как говорится, скоро сказка сказывается, да не скоро дело делается. Придется несчастному мужику еще посидеть...

— А ты, часом, в него не влюбилась, в хирурга этого?

— С ума сошел!

— Ах да, ты же теперь влюблена в Тверитинова...

— Да нет, мне просто на минуточку показалось, не бери в голову.

— Тогда, может, поедем ко мне?

— Нет, Арсюша, извини, у меня нет сил, хочу только до дому добраться.

— Ладно, я понимаю.

...Уже идя к дому от стоянки, Рита вдруг подумала: а что, собственно, произошло между мной и Тверитиновым? Чушь какая-то, о которой и вспоминать неохота. Он меня разве чем-то обидел? Ну занят человек был, не мог на работе расточать любезности по телефону, и что тут такого? Просто я избалованная бабенка, а сегодня мне здорово дали по кумполу, и нечего все валить на других. Сама виновата. Доверилась клиентке, не была готова к поражению. И вдруг сказала про себя: не желаю еще и Захара терять! И тут же достала мобильник.

— Алло! Захар?

— Рита? Рад тебя слышать. Мне показалось, что ты на меня в обиде?

— Нисколько, Захар! Просто я тоже была жутко занята. Знаешь, я сегодня первый раз в жизни проиграла процесс.

— О! Сочувствую! Может, увидимся?

— Когда?

— Сегодня.

— Нет, Захар, сегодня я в раздрызге.

— А завтра вечером? Скажи, ты готова пойти со мной на день рождения к моему сотруднику? Мне было бы приятно там появиться с такой красивой женщиной.

— Это будет в ресторане?

— Нет-нет, дома. К нему приехала мама из Питера и обещает какой-то невероятный стол. Сам Армен чудесный парень...

— Уговорил! Пойду! Я очень-очень хочу тебя видеть.

Он как-то смущенно хмыкнул.

— Я тоже буду рад! Тогда я заеду за тобой... Нас ждут к семи...

— Нет, давай лучше я за тобой заеду. По крайней мере сможешь выпить за здоровье своего сотрудника, а я алкоголь плохо переношу.

— О, как ты великодушна! С удовольствием принимаю твое предложение. Скажи, ты очень расстроилась из-за проигранного дела?

— Если честно, очень. Тем более, что я абсолютно убеждена в невиновности своего подзащитного. Но я за него еще поборюсь.

— Это правильно! Ты молодчина, и у тебя все получится.

— Спасибо, Захар, — чуть ли не до слез растрогалась Рита.

И ничего мне не показалось. Я здорово в него влюблена. Вот поговорила с ним, и вроде мне полегче стало. У него такой теплый, такой волнующий голос. Даже хорошо, что завтра мы встретимся не наедине. Вот уж точно — нет худа без добра. Не проиграй я сегодня процесс, я бы ему не позвонила. А он мог бы вообще никогда не позвонить. Но моему звонку явно обрадовался. И теперь я чувствую, что не все еще потеряно и я обязательно вытащу Гурьева. Завтра столько дел с самого утра. Ничего, я умею все успевать.

Захар и впрямь страшно обрадовался Ритиному звонку. И предстоящей встрече тоже. Он так распланировал завтрашний день, чтобы к пяти попасть в Первую Градскую к Илье, потом забежать домой переодеться и, главное, побриться перед свиданием с Ритой. Она же не любит небритых мужчин, с улыбкой припомнил он. Заботиться о подарке не приходилось, девушки в лаборатории собрали со всех деньги на какой-то очередной гаджет, а дома у Захара стояла бутылка шотландского виски многолетней выдержки. Кто-то подарил. Это уж будет персонально от меня. А в половине седьмого приедет Рита.

И сердце наполнилось радостью. Надо же...

Илья Извеков сидел на больничной койке такой бледный, исхудавший, подавленный, что у Захара засосало под ложечкой.

— Илюша! — позвал он.

Парень поднял глаза от планшетника.

— Захар Алексеевич, вы?

— Здравствуй, Илюша! Что это ты вздумал хворать?

— Захар Алексеевич, садитесь!

Парнишка сразу порозовел от радости.

— Вы пришли... Мне Рита говорила, что вы... Но я не поверил. Я так рад!

— Вот, тут тебе фрукты, сладости.

— Спасибо, но у меня все есть.

— Ничего, тебе сейчас все это необходимо. Вот что, друг мой, я прочел твою тетрадку.

— И... что?

— Ты большой молодец, Илья! Собственно, эта работа тянет на кандидатскую.

— Захар Алексеевич!

— Да-да, я не преувеличиваю. Конечно,
она нуждается в доработке, я тут все отметил, ты посмотри на досуге.

— О, досуга у меня тут до фига и больше.

— Ты вот что, Илья, сейчас для тебя
главное — верить, что все обойдется. Я знаю
кучу людей, перенесших в ранней молодости
инфаркт и доживших до весьма преклонных
лет, причем эти люди жили полной, насы-
щенной жизнью, а вовсе не дули на воду. А у
тебя такие перспективы, что того и гляди
Нобелевку заработаешь!

— Захар Алексеевич!

— Скажи мне лучше, что говорят врачи?

— Что придется взять академический
отпуск.

— Вот и прекрасно!

— А что ж тут прекрасного?

— Тебе после больницы положен санаторий или что-то в этом роде?

— Говорят, да. Но я умру там с тоски.

— Весь ты не умрешь! После санатория будешь помогать мне в лаборатории, заодно освоишь новое оборудование, сможешь понемножку проверять какие-то свои гипотезы.

— Захар Алексеевич!

У парня горели глаза, он выглядел совсем другим человеком, нежели полчаса назад.

— Неужели такое возможно?

— А почему нет?

— А у вас неприятностей не будет?

— У меня? С какой стати? Я возьму тебя на полставки лаборантом.

В этот момент в палату вошла Рита Метелёва.

— Захар Алексеевич, что вы с Илюшей сделали? — воскликнула она.

— Ничего особенного, просто обрисовал ему перспективы на ближайшее будущее.

— Захар Алексеевич, вы самый лучший человек из всех, кого я знаю.

— Да бросьте! Ладно, Илья, ты посмотри мои пометки, подумай, а я вскорости снова к тебе наведаюсь. Будь здоров, дорогой!

Они обменялись рукопожатием. Тверитинов ушел.

Боже, какая я все-таки дура, подумала Рита Метелёва.

Рита Ольшанская позвонила ровно в половине седьмого.

— Алло, Захар, спускайся, буду через три минуты.

И действительно, когда он вышел, ее красная «тойота» уже стояла у подъезда. Терпеть не могу дамочек на красных машинах, привычно подумал он. Рита в бежевом уютном пальто выглядела ослепительно. Захар даже на мгновение зажмурился.

— Выглядишь потрясающе.

— Знаешь, после тюрьмы и прокуратуры пришлось заехать в салон красоты, — улыбнулась она. — О, а ты побрился!

— Исключительно ради тебя.

— Я тронута. Итак, куда едем?

— Недалеко. Улица Гарибальди.

— Гарибальди? Что-то я такую не знаю.

— А ты без навигатора?

— Да он сломался.

— Ничего, доедем, — засмеялся он. — Дуй прямо по Ленинскому, а там я покажу. Как твои дела? Что за процесс?

— Тебе и вправду это интересно?

— Интересно, честное слово, интересно!

— Тогда слушай! Ко мне обратилась женщина, еще молодая, недурная собой, явилась вся в слезах и в соплях, дескать надо спасать невиновного, у него есть алиби, он сам ни за что не скажет, что провел у нее ночь, такой порядочный... Причем я чувствовала — она говорит правду. Я взялась за это дело. Познакомилась со своим подзащитным. Замечательный мужик, некто Степан Гурьев, военный хирург. Собрала о нем сведения, проделала большую работу. Пришла к выводу, что мужика подставили, тонко, умело, но при наличии такого алиби — его еще и соседка этой женщины видела, и его «шестерку» во дворе камера слежения зафиксировала. Короче, я была на сто процентов уверена, что его оправдают. И вдруг в суде на вопрос судьи, подтверждает ли эта тварь его алиби, она вдруг заявляет: нет, мол, не подтверждает. Это было как гром среди ясного неба! И сразу видно — врет! Краснеет, бледнеет, глаза прячет. Я к ней и так и эдак, но она стоит на своем. Несчастный хирург сидит как пыльным мешком прихлопнутый. Прокурор, зараза, смотрит на меня с таким торжеством. Короче, десять лет.

— Кошмар! Похоже, запугали ее...

— Или хорошо пробашляли.

Захара слегка покоробило, ему не нравились такие словечки в женских устах.

— Думаешь, она просто продала своего мужика со всеми потрохами? Зачем же она тебя нанимала?

— Видимо, был порыв. А потом предложили крутые бабки.

— Она что, очень бедная?

— Отнюдь, вполне упакованная. И что меня особенно взбесило, боженькой прикрывается.

— Сейчас это модно.

—- Господь ей, видите ли, не велит... Врать боженька не велит. А сама врет в глаза... Знаешь, я после разговора с осужденным позвонила ей и спрашиваю: «Елизавета Амвросиевна, как вы могли...»

— Елизавета Амвросиевна? — ахнул Захар. — А фамилия?

— Полупанова.

— Так... Интересно... — потрясенно проговорил Захар.

— Ты что, знаешь ее? — насторожилась Рита.

— Как выясняется, совсем не знаю... Тьфу ты, мерзость какая! Никогда бы не подумал... И о боженьке сроду от нее не слыхал. Выходит, я совсем в женщинах не разбираюсь... Пять лет...

— Так, интересно... Это что, твоя женщина?

— Да вот, выходит, не только моя... Но это бы ладно, с кем не бывает, но... Вот скажи мне, а зачем нужно платить ей за вранье, не проще ли было бы ее просто... кокнуть?

Рита вдруг рассмеялась.

— Кокнуть? Ты как ребенок, Захар! Прости, но в этой ситуации слово «кокнуть» так забавно прозвучало. Но попробую ответить на твой вопрос. Если бы ее, как ты выражаешься, «кокнули», главную свидетельницу защиты, это могло бы вызвать ненужные подозрения, и кто знает, чем бы дело кончилось.

— А такая резкая смена показаний?

— Совсем другой коленкор! Честная богобоязненная женщина хотела, но не смогла соврать под присягой.

— Нет, я все-таки не верю, что тут дело просто в деньгах.

— Может, и не в деньгах... Может, ей пригрозили, что ее самое «кокнут»... Но я лично так не думаю... Скажи, Захар, а тебе что, безразлично, что твоя женщина спала с кем-то еще?

— Честно? Мне просто очень противно. А вот все остальное повергло меня в шок.

Как я мог не раскусить ее за пять лет? Осел, самый настоящий осел!

— Ты любил ее?

— Нет.

— Ты так быстро и так твердо ответил...

— Я никогда не врал ни себе, ни ей. Никогда. Поначалу нам было хорошо вместе, не стану скрывать... Потом это переросло в привычку, было удобно нам обоим. Кстати, мой дед ее сразу невзлюбил. Но сейчас с нею покончено. Бесповоротно!

— А если я, в интересах своего подзащитного, попрошу тебя с ней встретиться?

— Я не смогу.

Рита засмеялась.

— Я не имела в виду интимную встречу. Просто пригласи ее поужинать, а я «случайно» окажусь в этом ресторане...

— И это может тебе помочь?

— Не исключено. Ну пожалуйста, Захар!

— Хорошо, если есть хоть малейший шанс, его надо использовать.

— Спасибо!

...Настроение упало до нуля, а тут еще жуткая пробка на пересечении Ленинского и Ломоносовского проспектов... Да, он не любил Лизу, но никогда не сомневался в ее порядочности. И дело вовсе не в измене, они оба свободные люди, и у него за эти пять лет тоже случались эпизоды... Но предательство, да еще когда человека обвиняют в убийстве... Немыслимо! Предстоящая вечеринка у Армена показалась нестерпимой докукой, но рядом сидела Рита, ослепительно красивая, поборница справедливости, и, кажется, она все понимает...

— Захар, я все понимаю, тебе тошно сейчас идти в гости, но ведь тебя там ждут. Не нужно из-за собственного разочарования разочаровывать хороших людей.

Он с облегчением улыбнулся.

— Ты кругом права. И говоришь совсем как мой дед. Надо бы тебя с ним познакомить. Уверен, вы найдете общий язык.

— Я с радостью!

— Сейчас поверни налево и вон к тому дому!

С заднего сиденья Рита достала букет красных роз и в ответ на недоуменный взгляд Захара объяснила:

— Это для армянской мамы.

— Ох, а я и не подумал, идиот! Виски для Армена взял, а цветы...

— Букет подаришь ты.

— Рита!

— Ничего не Рита! Это только нормально. А для Армена у меня есть роскошная визитница. Мне почему-то в этом году все время дарят визитницы, а эта мужская и мне ни к чему.

Он смотрел на нее с восхищением. Надо же, все продумала, все учла, даже сообразила, что я не успею или не догадаюсь купить цветы для армянской мамы. В груди вдруг стало тепло и сжавшееся в комок льда сердце стало оттаивать.

— Что, Захар? — словно издалека донесся до него голос Риты.

— Ничего. Идем!

Дверь открыл Армен.

— О, Захар Алексеевич! Боже, какая женщина!

Армен в смущении отвесил церемонный поклон.

— Проходите, проходите, гости дорогие!

— Познакомься, Рита, это виновник торжества Армен Туманян, талантливый и весьма перспективный молодой ученый, а это Маргарита, Рита, не просто красавица, а знаменитый адвокат. Поздравляю, дружище!

Мужчины обнялись.

— Армен, что ты держишь гостей в прихожей? — донесся откуда-то приятный низкий голос невидимой женщины.

— Да, да, идемте в комнату, еще минут пять, и сядем за стол.

— Арменчик, познакомь меня с мамой, — потребовал Захар, — я жажду сказать ей несколько хороших слов о ее сыне.

Армен слегка смутился.

— Мама скоро придет. Когда она на кухне... ее лучше не трогать.

Гостей было человек пятнадцать. Захар многих знал. Рита сразу же разговорилась с какой-то женщиной, а он стал рассматривать многочисленные фотографии на стенах. В основном черно-белые. Он вообще любил черно-белые снимки, ему казалось, что они куда ближе к жизни, нежели цветные. И вдруг взгляд его зацепился за один снимок — на берегу моря стоят обнявшись четыре хорошенькие девушки в старомодных купальниках. Они радостно улыбаются то ли фотографу, то ли просто своей молодой жизни... Не может такого быть — одна из девушек, самая красивая — его мать! Невероятно! Опять совпадение. Но, может, я ошибаюсь?

— Здравствуйте, дорогой! Что это вы тут разглядываете? — спросил давешний приятный голос.

Он резко обернулся.

— Я знаю, вы Захар Алексеевич! — улыбнулась ему необыкновенно обаятельная пожилая дама. — А я Татьяна Ашотовна, мама Арменчика.

— О, Татьяна Ашотовна, я страшно рад возможности сказать вам, что ваш сын редкостно способный тип, умница и моя правая рука.

— Вот спасибо! Матери так радостно это слышать... А я несказанно рада тому, что мой Арменчик попал в такие надежные и, судя по всему, добрые руки. Ну все, хватит любезностей, — очаровательно улыбнулась Татьяна Ашотовна. — И все-таки, что вы тут рассматривали? Увидели знакомое лицо?

— Татьяна Ашотовна, кто это?

Захар ткнул пальцем в старую фотографию.

— О! Это я со своими подружками по ГИТИСу. В Коктебеле. У нас была веселая компания, но ни одна из нас не стала актрисой.

— А эта девушка кто?

— Инга Зерчанинова, самая красивая девушка в институте. Ой, что это с вами? Вы ее знаете?

— Да. Некоторым образом.

— Она жива?

— Живехонька.

— Ой, а я совсем ее из виду потеряла. Она была такая веселая, заводная... Собиралась замуж за одного до ужаса скучного типа, а потом ее прямо из Коктебеля умыкнул сын какого-то академика, такой потрясающий парень... Забыла его фамилию. Из института Инга ушла, говорили, вышла за этого красавчика, а потом говорили, сбежала за границу. Ой, как бы я хотела с ней повидаться... А вы где с ней встречались?

— Это моя мать, — с трудом выдавил он.

— Мать? Господи помилуй... А ваш отец?

— Мой отец тот самый сын академика. Но он давно умер.

— С ума сойти! Значит, это неправда, что Инга осталась за границей?

— Увы, правда.

— Но как же...

— О, простите, Татьяна Ашотовна, но это совсем непраздничная история.

— Она что, бросила вас?

— Увы. Но я вовсе не был эдаким сиротинушкой. А вот у нее была нелегкая жизнь. Я недавно был у нее, она теперь живет в Израиле.

Он сам не мог понять, с чего вдруг разоткровенничался с незнакомой, но такой симпатичной и располагающей к себе женщиной.

— Скажите, Захар Алексеевич, она... Инга... все еще красива?

— О да, очень! И ее мучает совесть.

— Ну еще бы! Бросить сына... Как такое вообще возможно?

— Я долго держал на нее обиду, а потом вдруг понял — она сама судит себя куда строже других.

И вдруг Татьяна Ашотовна поднялась на цыпочки и поцеловала Захара в щеку.

— Вах, какой хороший мальчик!

И погладила его по плечу. Он рассмеялся и поцеловал ей руку.

— Можно я буду говорить вам «ты»?

— Буду счастлив!

— А ты дашь мне телефон Инги? А то я с этими соцсетями совсем не умею...

— Ну конечно дам!

— Мама, что случилось? — подоспел Армен. — Ты уже обаяла моего шефа?

— Абсолютно! — улыбнулся Захар.

— А ведь ты еще не пробовал мою стряпню!

Ужин и вправду был просто фантастический, и атмосфера за столом сложилась легкая и непринужденная. Тут не было обязательных цветистых кавказских тостов, никто не напивался, не впадал в мрачность, не спорили о политике. Рита искренне наслаждалась этой атмосферой.

— Захар, какие чудные люди, какой прелестный дом, как тут всем хорошо, правда?

— Истинная правда! Я даже забыл обо всей этой мерзости. Ты сейчас такая невозможно красивая... Знаешь, оказывается, Татьяна Ашотовна была в юности подружкой...

— Твоей мамы, — пришла на помощь Рита. — Я, кстати, сразу узнала ее на этом снимке. Голливуд отдыхает!

— Да, понимаю... — тяжело вздохнул Захар. — Подумать только, в какой узел все завязалось...

— Ты о чем?

— Ну, твоя мама и мой отец... мать моего сотрудника дружила с моей. Женщина твоего подзащитного оказалась... и моей женщиной... — Он налил себе рюмку коньяка. — Как бы то ни было, а я рад, нет, даже счастлив, что все-таки поехал к ней, а иначе я бы не встретил тебя. — Он поднял рюмку, глядя ей прямо в глаза. — Моя рыжая кошка! Ты похожа на Стешку, у нас была такая кошка, редкой красоты... И ты на нее похожа... За тебя, красавица!

— Про кошку ты уже говорил. Нет, выпей лучше за нас. Ты мне очень-очень нравишься... Захар, помнишь, ты мне обещал встретиться с Лизой?

— Тьфу, не напоминай!

— Не могу. Это очень-очень важно для моего подзащитного. Подумай, невиновный человек будет сидеть...

— Хочешь, чтобы я сейчас ей позвонил?

— Да. Пожалуйста, Захар, очень-очень тебя прошу!

— Нет вопросов!

Он встал из-за стола и вышел в прихожую.

— Куда ты собрался, мальчик? — перехватила его Татьяна Ашотовна.

— Никуда, что вы! У вас так чудесно... Просто нужно сделать один деловой звонок.

— Так ступай в комнату Арменчика и звони себе спокойно. Вот сюда.

— Спасибо!

Он вошел и огляделся. Обычная комната молодого ученого. Книги, компьютер, множество каких-то электронных прибамбасов, портрет Норберта Винера на стене и плакат группы «Куин». У этого молодого парня есть интерес к прошлому, и это прекрасно, а то нынешняя молодежь думает, что вчера, до них, ничего стоящего не было.

Захар сел в кресло. Боже, как не хочется звонить, притворяться, врать... Но надо это сделать ради Риты, нет, даже не ради нее, а ради невиновного человека. А может, не так уж он и невиновен? Да ерунда, не мое дело в этом разбираться. И он набрал номер. Лиза почти сразу ответила:

— Алло, Захар? Куда ты подевался? Я соскучилась.

— Извини, занят зверски! Давай завтра пообедаем где-нибудь?

— Я с удовольствием, милый, но в обед я занята, давай лучше поужинаем?

— Хорошо. Как скажешь. Где?

— Давай в том ресторане, где были последний раз, мне там понравилось. Тихо и уютно.

— Отлично. В восемь я за тобой заеду.

— Нет, боюсь, к восьми не успею. Давай встретимся прямо там в девять.

— Как скажешь.

— Захарчик, что с тобой? Почему у тебя такой голос?

— А какой у меня голос?

— Ну, какой-то чужой, неласковый.

— Просто я сейчас в гостях, мне не очень удобно говорить.

— А у кого это ты в гостях без меня?

— А разве ты без меня в гости не ходишь? — он с трудом сдерживал злость.

— Это совсем другое дело!

— Не нахожу! — он чувствовал, что еще минута, и он выскажет ей все, что о ней думает.

— Ладно, ладно! Завтра в девять. Пока, любимый!

Он стукнул кулаком по чужому столу. Любимый!

В комнату заглянула Рита. Захар сидел бледный, на щеках играли желваки, глаза были закрыты, а руки так сжимали подлокотники кресла, что побелели костяшки пальцев. Бедный, подумала Рита, ему так тяжело дался этот разговор... Или он все-таки любил эту женщину? Ничего, разлюбит! Он предназначен мне, я это чувствую. И, кажется, уже люблю его. Она тихонько подошла к нему.

— Захар!

Он открыл глаза и попытался улыбнуться. Улыбка вышла какая-то кривая.

— Что, тяжело?

— Не то слово!

— Договорился?

— Да. Завтра в девять вечера.

— Почему так поздно?

— Мадам раньше не может.

— Это для нее обычное время?

— Отнюдь. Раньше в выходные она всегда предпочитала обеденное время. Но, впрочем, мало ли что было раньше.

— Прости меня, Захар.

— За что?

— За то, что вынуждаю тебя во всем этом участвовать.

— Ничего. Сдюжу. И потом ради тебя...

— Какой ты милый, Захар, и заслуживаешь поцелуя.

Она села к нему на колени, обвила его шею руками и поцеловала в губы. Он сжал ее что было сил.

Кто-то заглянул в комнату и весело прокомментировал:

— Целуются!

Рита отвезла Захара домой. Он не хотел, предлагал снять номер в отеле, но она наотрез отказалась:

— Прости, дорогой, я тоже этого хочу, очень-очень, но я упертая, пока не разберусь с этим делом, радости от меня будет, как от козла молока. Поверь, я себя знаю.

— Хорошо, как скажешь!

— Не обижайся, ты уже понял, что я сама тебе скажу, когда смогу, за мной не заржавеет, но знай, я, похоже, уже люблю тебя. А теперь выметайся из машины. И не чувствуй себя обязанным говорить «я тоже». Иди-иди!

И едва он вышел, она умчалась. А он остался стоять в некотором ошалении. Потом улыбнулся — вот это женщина! И отправил ей эсэмэску: «Я тоже!!!»

Утром за завтраком дед спросил:

— Захарка, у тебя что-то случилось?

Захар отхлебнул кофе, откашлялся и сказал:

— Да, дед, много чего случилось, но прежде всего должен сказать тебе, что ты был прав, кругом прав.

— В чем это?

— В своей оценке Лизы.

— Неужто ты прозрел?

— Меня вынудили.

И он все рассказал деду.

— Фу, какая гадость! Я всегда чувствовал в ней некую подколодность. И я просто убежден, что ей хорошо заплатили. Только вот интересно, роман с этим хирургом был добровольным или это такая хитрая подстава с самого начала была?

Захар озадаченно уставился на деда.

— Но кому могло понадобиться так сложно действовать? И потом, она же сама явилась к адвокату, слезно умоляя ее взяться за это дело. Нелогично.

— Как раз очень даже логично. Я полагаю, этот план был разработан до мелочей и хорошо продуман. Скажи-ка мне вот что. Эта твоя Рита дорогой адвокат?

— Точно не знаю, но, полагаю, не дешевый.

— И ты утверждаешь, что она до сих пор не проиграла ни одного дела?

— Да.

— А что, если, кроме хирурга, хотели подставить заодно и ее? А может, и вовсе главная цель — Рита?

— Но зачем?

— Допустим, месть. Это элементарно. Она порушила чьи-то планы один раз, потом второй, и ее решили убрать со сцены. Такое ей в голову не приходило?

— По крайней мере я об этом ничего не слышал.

— Дети! Какие же вы оба еще дети!

— Тогда при чем тут несчастный хирург?

— Не знаю, но вполне возможно, тот или те, кто подставил хирурга, решили заодно еще порушить репутацию Риты.

— Дед, сам подумай, одно проигранное дело вряд ли обрушит репутацию достаточно успешного адвоката.

— А если это только начало? Я слышал о подобных случаях. Был когда-то адвокат, кажется, его фамилия Авдошин, весьма успешный товарищ, а потом вдруг все его дела стали сыпаться, а в результате он покончил с собой.

— Боже, дед, что ты такое говоришь!

— Вот что, Захарка, позвони сейчас Рите и позови ее к нам. Я хочу с ней поговорить.

— Дед, ты это серьезно?

— Более чем. Твой дед не самый глупый и к тому же весьма опытный и, не побоюсь этого слова, умудренный жизнью старик. И еще не выживший из ума. Звони, мой мальчик, а заодно я посмотрю, в кого ты на сей раз влюбился.

— Признайся, дед, ты все это наворотил, чтобы просто познакомиться с Ритой?

— А ты, Захарка, здорово влюблен, совсем поглупел, бедненький. Звони!

— Алло! — весело откликнулась Рита.

— Знаешь, я рассказал о нашем деле деду...

— Самому академику Тверитинову?

— Ему. И он такое предположил... Не буду говорить по телефону. Короче, срочно приезжай к нам. Дед жаждет с тобой побеседовать. Утверждает, что это очень серьезно и не терпит отлагательств.

— Даже так? Хорошо, постараюсь быть минут через сорок.

— Ну что, приедет?

— Да, минут через сорок.

— Ступай, побрейся! — сурово напомнил Дмитрий Захарович.

И Захар беспрекословно подчинился.

Действительно, не прошло и часа, как в дверь позвонили. Дед и внук вышли в прихожую.

— Рад приветствовать вас, милая девушка!

— Дед, позволь тебе представить...

— Мальчик мой, а ты часом не рехнулся? Это меня ты должен представить даме, я все-таки мужчина, хоть и совсем старый.

Захар смешался.

— Ах, Дмитрий Захарович, это все пустяки! — обворожительно улыбнулась Рита. — Зато теперь я знаю три поколения знаменитого рода Тверитиновых и очень-очень этому рада.

— Голубушка, вы чрезвычайно великодушны. Позвольте ручку...

Старик с удовольствием приложился к ее руке.

— Хотите кофе?

— Нет, спасибо, я уже пила. Дмитрий Захарович, что-то случилось?

— Надеюсь, пока нет. Но Захар посвятил меня в историю с Елизаветой и этим несчастным хирургом... так вот, я осмелился предположить, что удар был нацелен не только в него, но заодно и в вас, голубушка.

— В меня? — поразилась Рита. — Но это абсурд.

— Не такой уж это абсурд, — поддержал деда Захар. — Мне, по некотором размышлении, эта мысль показалась вполне здравой. Ты до сих пор не проиграла ни одного дела, и вдруг такой примитивный облом...

— Ну, когда-то же это должно было случиться, — растерянно проговорила Рита.

— Скажите, голубушка, вы никогда не слышали историю адвоката Авдошина?

— Разумеется, слышала, — вдруг страшно побледнела Рита, — вы думаете, что...

— Я лишь сделал предположение. И всерьез считаю, что вам следует хорошенько подумать, кому вы досадили настолько, что этот человек решил свести с вами счеты.

Ищите везде! И среди оставленных вами в дураках, и, главное, среди коллег, впрочем, я не знаю, обвинители считаются коллегами защитников? Кстати, и завистники среди защитников тоже могут быть. Ну и в связи с нашим хирургом тоже...

— Видите ли, Дмитрий Захарович, хирурга подставили достаточно умело, а показания Елизаветы Амвросиевны, как мне показалось, с легкостью развалят дело. Я была просто самонадеянной идиоткой. Спасибо вам, Дмитрий Захарович, вы открыли мне глаза... Больше всего на самое себя. Да, я поищу в этом направлении...

— Вот-вот, поищите, хорошенько поищите, а главное, попытайтесь расколоть... Так, кажется, теперь говорят, эту подколодную особу.

— Какую особу?

— Подколодную. Мне эта Лиза всегда представлялась вполне подколодной. Что уж там мой внук в ней нашел...

— Дед!

— Ладно-ладно, умолкаю! Слава богу, ты, кажется, одумался наконец. Хорошо, дети мои, я вас оставлю, хватит заниматься чужими делами, у меня, слава богу, есть еще свои.

И с этими словами Дмитрий Захарович удалился в свой кабинет.

— О, Захар! Твой дед — это что-то! У меня нет слов. Теперь таких уже не делают.

— К сожалению, ты права, — улыбнулся Захар.

— Три поколения Тверитиновых, и один лучше другого.

— Ну и кому же ты в результате присудила бы пальму первенства?

— Разумеется, Дмитрию Захаровичу! А ты мне все-таки нравишься больше, чем твой отец.

— Почему, можно узнать?

— Можно. Потому что ты... Ты мой человек, я это сразу скумекала, как тебя увидела.

— Это лестно, — засмеялся он.

— Послушай, Захар, а что вообще из себя представляет эта Лиза?

— Нелегкий вопрос! Что я могу сказать о ней в такой ситуации? Я, как выясняется, совсем ее не знал. Единственное... я никогда не обольщался относительно ее чувств ко мне. Нам обоим, видимо, что-то показалось в самом начале, а потом... эти отношения были нам удобны. Подлости или, как выражается дед, подколодности я не замечал. Вот, пожалуй, и все.

— Она корыстная?

— Не сказал бы. Она была довольно мила, ненавязчива, никогда ничего не требовала, не ставила ультиматумов. Знаю только, что мечтала завести семью... Но я не мог соответствовать. Все, не желаю больше о ней говорить, тем паче что придется сегодня с ней общаться.

— Не получится не говорить. Скажи, а как она обычно проводит выходные дни?

— А бог ее знает... Хотя... Обычно она спит допоздна, потом едет в какой-нибудь большой магазин закупать продукты на неделю. Потом в салон красоты или что-то в этом роде. Однако, если я приглашал ее где-то пообедать, она с удовольствием меняла планы.

— Ага, значит, сегодня она не стала из-за твоего приглашения менять планы, у нее были более важные дела... Хотелось бы узнать какие.

— И как ты собираешься это узнавать?

— А давай попробуем проследить за ней.

— Проследить? — крайне удивился Захар. — Но каким образом?

— А что тут особенного? Или ты выше этого?

— Раньше думал, что выше, — рассмеялся он.

— А теперь?

— С тобой вдвоем я на многое готов. Только она мою машину знает.

— Мою тоже. Но не знает машину моей мамы. Скромная серая «хонда» вряд ли привлечет ее внимание.

— О, как все интересно! И с чего же мы начнем?

— Элементарно, Ватсон!

Рита набрала номер Лизы и совершенно неузнаваемым голосом проговорила:

— Здравствуйте! Извините, это говорят из вашей управляющей компании, мы проводим акцию по замене устаревших электроплит...

У Захара глаза полезли на лоб.

— Скажите, вас это интересует? — Рита включила громкую связь.

— Замена электроплит, я не ослышалась?

— Нет. Все именно так.

— Но у нас в доме газовые плиты!

— Простите, это дом девятнадцать по улице Герасима Курина?

— Ничего похожего! — рассердилась Лиза и швырнула трубку.

— Извини, но что за чушь ты тут порола?

— Да все нормально, — пожала плечами Рита. — Все, что мне надо было узнать, я узнала.

— Что? Что ты узнала?

— Не так уж мало. Она сейчас дома, я, похоже, ее разбудила, так что как минимум час у нас есть. Не сомневайся, Захар, я знаю, что делаю.

— Очень на это надеюсь.

— Тогда поехали?

— Я готов!

— Какой ты милый, с утра побрился, я тронута.

— Скажи спасибо деду, — проворчал Захар. — А почему ты приехала не на своей машине?

— Потому что собиралась последить за твоей Лизой.

— И ты часто пускаешься в такие авантюры?

— Случается, — засмеялась Рита. — Только разве это авантюра? Это так, семечки...

— А ты знаешь адрес?

— Не задавай глупых вопросов, я же заключала с ней вполне официальный договор.

— Ах да, прости, но мне это в новинку.

Когда они подъехали к дому Лизы, синяя маленькая «мицубиси» стояла у подъезда.

— Черт, где тут встать, — пробормотала себе под нос Рита.

Но тут же из подъезда выбежала Лиза, продолжая говорить с кем-то по телефону. Открыла машину, села за руль и быстро вырулила со двора. Рита, держась на некотором расстоянии, следовала за ней.

— Считай, нам повезло, не пришлось дожидаться.

— Если она двинет в какой-нибудь молл, мы ее потеряем.

— Не двинет!

— С чего ты взяла?

— Она не так одета.

— То есть?

— У нее каблуки сантиметров десять, вообще не понимаю, как на таких каблуках машину водить... Пальто светлое, дорогущее, и полный боевой раскрас. Она явно едет на какую-то встречу, и мы постараемся выяснить, с кем именно. Это может оказаться очень-очень интересно.

— Боже мой, да ты впрямь Шерлок Холмс, тебе бы не адвокатом быть, а следователем.

— А я кстати начинала в следственном отделе, но мне там не понравилось, вернее, я там не понравилась, вот и пришлось переквалифицироваться в адвокаты, хотя мне говорил один большой милицейский чин, что из меня мог бы получиться отличный следователь.

— С ума сойти!

— Да! Надо полагать, для ученого такие приключения — небывалый экстрим, — рассмеялась она.

— А для твоего журналюги?

— Да самое обычное дело! Только прошу запомнить — он не мой!

— Да ладно, я ж не слепой все-таки. Он мне не понравился. Мутный какой-то.

— Ревнуете, сэр?

— Ревную. Да. Хоть и не имею пока на это права.

— Она едет в Центр. Это плохо.

— Почему?

— Проблемы с парковкой. В крайнем случае ты сядешь за руль, а я пойду пешком.

— Она тебя узнает.

— Да ни в жисть!

На светофоре Рита достала из пакета, валявшегося на заднем сиденье, большой зеленый павлопосадский платок, повязала его на голову, спрятав под ним волосы, нацепила небольшие очки и стала неузнаваемой.

— Ну, ни фига себе! — ахнул Захар. — Я думал, надо стать совсем незаметной, а тут такой яркий платок...

— Захар, ты вообще-то детективы читал?

— Не очень... Не люблю.

— Я тебя обожаю!

Лиза свернула в какую-то узкую улочку, проехала ее насквозь, повернула направо, но когда Рита тоже свернула направо, то машину Лизы не обнаружила.

— Черт, куда она провалилась? — закричала Рита. — Захар, ты ее видишь?

— Нет. Может, она заехала во двор?

— Где ты тут видишь двор? Нет, это нереально... сплошная стена, даже ворот нету! Ведьма она, что ли? На помело пересела?

— Погоди, не кипятись. Там, до этой ограды, был какой-то съезд. Давай повернем обратно, и пусти-ка меня за руль, ты слишком нервно водишь.

— Здрасьте, приехали! Мужской шовинизм! — возмутилась Рита. Однако затормозила и поменялась с Захаром местами.

Он развернулся и поехал в обратную сторону.

— Стоп! Ты был прав, но там шлагбаум и будка. Какой-то охраняемый объект. Ладно, ты остановись так, чтобы охранник видел машину.

— Как скажете, мадам!

Рита выскочила из машины и сломя голову кинулась к будке охранника. Тот вышел к ней и через минуту принялся что-то объяснять, указывая рукой в сторону центра, а она, как собачонка, прыгала вокруг него, согласно кивая головой. Куда девалась роскошная рыжая стерва, которая поразила его воображение в иерусалимском ресторане? Артистка! Впрочем, хороший адвокат обязан быть хорошим артистом.

Между тем Рита вытащила что-то из сумки и протянула охраннику. Сигареты, что ли? Похоже на то. Но разве она курит? Хотя ей, наверное, это идет... да ей вообще все идет... Надо же, стоит и курит с охранником, как со старым приятелем... Но вот она попрощалась за руку с новым знакомцем и побежала к машине.

— Привет, заждался?

— Что это было?

— Все в интересах следствия! Я кое-что выяснила. Оказывается там, за этой стеной, частная клиника, задняя ее часть, где сотрудники ставят машины. Несмотря на выходной, машин там полно. Если охрану предупреждают, въезд разрешен и посторонним. Насчет Лизы предупредил главврач, некто Рутенич, Игорь Евгеньевич. Случайно не знаешь такого?

— Как ты сказала? Рутенич?

— Да.

— Что-то знакомое... Погоди... Да, это... Я даже видел его однажды. Это ее брат, то ли двоюродный, то ли троюродный. Редкостно красивый мужик, но ужасно неприятный какой-то, начисто лишенный обаяния.

— Уже кое-что. А ты не помнишь, как Лиза о нем отзывалась?

— Прекрасно помню. Я сказал, что он очень красивый, но совсем необаятельный, а она сказала: «Да вообще конченый подонок! Если бы не его мама, близко бы к нему не подошла».

— А теперь, выходит, понадобился зачем-то «конченый подонок»... Слушай, а он вообще кто?

— В каком смысле?

— В медицинском! Ну, терапевт, гинеколог, отоларинголог? Может быть, ей понадобилась его профессиональная помощь?

— Представления не имею. Я как-то мало им интересовался.

— Да ты, похоже, и ею-то интересовался не слишком.

Захар промолчал.

— Ну, что делать будем? — спросила Рита.

— Я тут лицо подчиненное.

— Непривычно это вам, профессор Тверитинов?

— В данном конкретном случае мне это только приятно.

Но тут они увидели, как шлагбаум поднялся и выехала синяя «мицубиси» Лизы.

— Внимание, на старт! — скомандовала Рита.

И они вновь устремились в погоню.

— Захар, последи за ней сам, я сейчас отвлекусь.

Она достала из сумки айпэд.

— Погляжу, что это за Рутенич такой.

Какое-то время они ехали молча.

— Странно, — через несколько минут проговорила Рита, — о нем так мало информации, практически ничего... Это как минимум странно и даже, пожалуй, подозрительно.

— Ну, если человек не шарится в соцсетях...

— При чем тут это? Ты вот тоже в соцсетях не шаришься, а знаешь, сколько о тебе информации в Интернете?

— Проверяла? — усмехнулся Захар.

— А как же! О тебе там очень много, и это совершенно нормально. Рутенич ведь не просто сторож дядя Вася, он главврач частной клиники. А тут даже этих сведений нет. Я бы подумала, что это вообще какой-то фантом, если бы ты его не видел. Э, а куда это наша Лизаня намылилась?

Лиза между тем затормозила у ресторана, имевшего свою парковку.

— Захар, пока она паркуется, я побегу туда, боюсь придется задержаться.

— А мне что делать?

— Езжай домой. Машину бери ты. Я потом за ней приеду.

И с этими словами она выскользнула из машины и юркнула в двери ресторана. Успела на две минутки раньше, чем Лиза.

Господи, совсем я с ума сошел! Ввязался в какую-то идиотскую гонку, слежку, как в дурном кино. И я в роли простака, да нет, полного придурка! Сижу за рулем чужой машины, без доверенности, между прочим.

Мало ли что может случиться по дороге, и как я, болван, буду выглядеть?

Однако водителем Захар был виртуозным и до дому добрался без приключений. Слава богу! Он чувствовал себя вконец разбитым, словно в одиночку разгрузил вагон бревен.

Его встретил дед.

— Поздравляю, Захарка!

— С чем?

— Кажется тебя наконец взнуздали.

— О да, запрягли по полной программе, — радостно засмеялся Захар.

— Она хороша, твоя Рита, ох, хороша! — академик поцеловал кончики своих пальцев. — С такой женщиной не заскучаешь, а это самое главное в жизни — не скучать со своей женщиной. Скажи, тебе не кажется, что она страшно похожа на нашу Стешку?

— Кажется, дед, я сразу это заметил.

— Знаешь, если ты на ней женишься, я буду счастлив и спокоен. С ней ты не пропадешь.

— Дед, скажи, а с чего ты взял, что я вообще могу пропасть? С ней или без нее?

— Потому что у тебя очень мягкое сердце, дружок.

— Брось дед, я умею быть очень даже жестким.

— В профессии — да. А вот с женщинами...

— Ладно, дед, не люблю я эти разговоры. Да, кстати, Рита сказала, что из трех знакомых ей Тверитиновых ты ей нравишься больше всех.

— Лукавство, мой мальчик. Она же без памяти в тебя влюблена. И если хочешь знать, она чем-то напоминает мне не только Стешку, но и твою бабушку в молодости. Это нелегко, но уж с гарантией не скучно.

— Да уж! Моя так называемая мать на скуку в нашей семье уж точно не жаловалась.

— Захар, мальчик, зачем это «так называемая»? Брось, ты же многое о ней понял, ты ее пожалел и в душе, мне кажется, простил. И это прекрасно, хватит уж жевать эти детские обиды и комплексы, тоже мне, несчастный сиротка.

— Я все понимаю, но не получается иначе, язык как-то не поворачивается.

— Ладно. Это придет. Да, а где же ты бросил свою рыжую красавицу?

— Ох, дед, если бы ты знал, во что она меня вовлекла...

И Захар в красках, с изрядной долей юмора рассказал о сегодняшних событиях.

— Да, мой мальчик, ты серьезно влип, — смеялся Дмитрий Захарович. — А вечером, если я не ошибаюсь, у вас задумана очная ставка, так, кажется, это называется?

— Не знаю, может, и так...

— Справишься?

— Должен!

— Прошу тебя, Захарка, выведи на чистую воду эту подколодную бабу. А сейчас идем обедать. Я что-то проголодался. Или следует подождать Риту?

— Не думаю. Она осела в ресторане, скорее всего, там и поест.

— Ну что ж...

Они с удовольствием съели приготовленный Верой Борисовной обед. И пока Захар составлял посуду в посудомойку, Дмитрий Захарович заваривал кофе. Захара к этому священнодействию никогда не допускали. Беседы за послеобеденным кофе были любимым времяпрепровождением деда и внука. Но тут раздался звонок домофона.

— Твоя красавица пожаловала.

Это и в самом деле явилась Рита. Глаза ее сверкали, она была страшно возбуждена.

— Ты что-то узнала? — сразу спросил Захар.

— Да, многое! Ах, эта твоя Лиза, она даже не сволочь, а просто редкая дура!

— Деточка, хотите хорошего кофе?

— Хочу, Дмитрий Захарович, очень-очень хочу, просто мечтаю! Поесть успела, а кофе выпить — нет!

— Вот, дорогая, пейте и рассказывайте. Надеюсь, я вам не помешаю? Уж простите мне мое старческое любопытство.

Рита отхлебнула кофе.

— О боже! Такой сказочный кофе я пила только в Марокко!

— Вы были в Марокко?

— Да, в прошлом году.

— Дед, давай путевые заметки оставим на потом, — нетерпеливо проговорил Захар.

— Да-да, разумеется. Вам слово, деточка!

— Так вот, я влетела в этот ресторан, скинула пальто и ринулась в туалет — дождаться, пока она сядет за столик. Там столики стоят в два ряда, разделенные деревянными решетками, увитыми искусственной зеленью. Я буквально пронеслась мимо Лизы. Она сидела лицом ко входу. Я устроилась непосредственно за ее спиной. К ней подошел официант, она попросила воды без газа и сказала, что заказ сделает позже, когда придет ее подруга. Я поняла, что она собирается сидеть тут довольно долго, и спокойно заказала себе обед. К слову сказать, там очень вкусно кормят. Когда вся эта свистопляска кончится, я приглашу вас обоих в этот ресторан.

— Обоих? — насмешливо переспросил Дмитрий Захарович.

— Обоих! — подтвердила Рита. — Так вот, сидит наша девушка, пьет воду, потом достает телефон и кому-то звонит. Текст примерно такой: «Извините, Елена Владимировна, что звоню домой, но я должна завтра уехать на недельку, за свой счет. Это по личным обстоятельствам. Да, я надеюсь, недели хватит. Да-да, разумеется, при встрече все вам объясню. Спасибо, спасибо вам огромное!»

— Так, она явно собирается, как теперь говорят, слинять. А кстати, Рита, я что-то запамятовал, где она работает?

— Преподает английский на платных курсах, — ответил за нее Захар. — Что дальше?

— Дальше появляется ее подружка, звать подружку Светочкой. Знаешь такую?

— Нет. Она меня с подружками не знакомила.

— Подружка, судя по всему, близкая, закадычная. Разговор их я на всякий случай записала.

— Как тебе удалось?

— Какая разница? Главное, удалось!

— Но в суде, кажется, такие записи не принимают во внимание? — осведомился Дмитрий Захарович.

— В суде не принимают, да, но, чтобы вывести человека на чистую воду и припугнуть, очень даже полезная штука. Ну, и чтобы не трепать языком, а спокойно пить ваш изумительный кофе, включаю запись.

— Браво, деточка!

Рита включила крохотный диктофон. Раздался негромкий, но вполне отчетливо слышимый голос:

— Колись, Лизок, зачем это я тебе так срочно понадобилась? Только не ври, я всегда знаю, когда ты врешь.

— Послушай, Свет, мне кровь из носу надо свалить из Москвы.

— На отдых?

— Считай, да, на отдых! Лучше в безвизовую страну. Куда посоветуешь?

— Езжай в Израиль. Самая цивилизованная из безвизовых стран. Но дорогая. Тунис, Турция, Марокко, но там сейчас дожди. Остается Египет. Там почти всегда погода хорошая.

— Не хочу в Египет, мне там жутко не понравилось, к тому же я еду одна, а там эти местные проходу блондинкам не дают. Светик, скажи, а куда-то в Европу, хоть в самую захудалую, можно срочно сделать визу?

— Лизка, ты что, от кого-то драпаешь, лучше скажи честно, ты же знаешь, я тебя не выдам, а может, и присоветую что-нибудь толковое.

— Ох, Светик, у меня такой кошмар, я в такую жуткую историю влипла, ужас просто...

— Давай, рассказывай, одна голова хорошо, а две по-любому лучше.

— Наверное, ты права... И вообще, если с кем-то поделиться, может, полегчает. Короче, ты знаешь, что я даю еще частные уроки...

— Ну?

— Звонит мне как-то Игорь...

— Какой Игорь?

— Да двоюродный мой, сволочь редкая... Я сегодня ездила с ним разбираться, да что толку... Я не я и лошадь не моя. Все же из-за него...

— Лиз, говори толком.

— Звонит он мне несколько месяцев назад и предлагает освежить английский одному крупному бизнесмену. Тому предстоит через два месяца поездка в Штаты по делам, деньги предлагает очень хорошие и намекает, мол, если захороводишь мужика, он тебя озолотит. Ну, я, понятное дело, соглашаюсь. Мужику лет пятьдесят, но очень интересный, обаятельный, язык знал, но сильно подзабыл, а вспоминает легко. И платит по-царски. На Восьмое марта перстенек с сапфиром преподнес...

— Это мне уже не нравится.

— Вот-вот! А я, дура такая, тогда рассиропилась, невесть о чем размечталась, и не на пустом месте, между прочим...

— Ты с ним спала?

— Нет.

— Тем более подозрительно... Ну, а дальше-то что?

— Дальше повез он меня на выходные в Лондон. Летели туда на частном самолете... Это такая роскошь...

— Его самолет?

— Нет, его приятеля. Короче, он поселил меня в шикарном отеле, дал денег на шмотки, развлекайся, мол, по полной, а мне надо на денек в Уэльс смотаться. А я и рада. Понеслась с самого утра по Лондону, всю жизнь мечтала там оказаться, с языком же... Это кайф! Ну и шмоток, понятно, накупила...

— Святое дело!

— Так я почти двое суток блаженствовала, а потом он вернулся, смурной такой, говорит, у него большие неприятности... и по бизнесу, и вообще, и только я смогу ему помочь. Я так и села. Интересно, чем я, скромная училка, могу помочь такому? Выслушай меня, говорит, этого довольно. Он открыл бутылку вискарика, начал глушить... Сидит, сопли размазывает со слезами... и несет какую-то хрень... Он меня любит-обожает, но жениться на мне не может, а есть у него один кадр, как раз для меня, он, мол, чувствует уже за меня ответственность, хочет устроить мою судьбу... Есть у него старый друг, замечательный военный хирург, чудесный мужик, эдакий одинокий волк, и надо его во что бы то ни стало женить... Он это обещал маме хирурга перед ее смертью. Но Степан, хирург этот, всякое сватовство в принципе не приемлет...

— Лиз, а у олигарха твоего имя-то есть, а то я все в этих мужиках путаюсь...

— Есть, его Валентином Васильевичем зовут. Короче, Валентин говорит — надо подстроить совсем якобы случайное знакомство, и я ни в коем случае не должна упоминать его, Валентина, в разговоре с хирургом...

— В этом и заключались его неприятности?

— Не знаю. Больше он ни о чем не говорил, а я, как дура последняя, поверила во все это...

— И согласилась с хирургом знакомиться?

— Ну да. Мне эта идея очень понравилась. Меня записали к нему на прием, вроде по блату... Братец мой двоюродный посодействовал, сволочь такая... А у меня и вправду спина болела. Ну и хирург на меня неожиданно клюнул... И мне он здорово понравился... Настоящий мужик... Большой, добрый... Ну и завертелся у нас роман.

— А как же твой Захар? Его побоку?

— А что Захар? Он на мне жениться не собирался, дед его меня терпеть не мог, чем уж я ему не угодила, не знаю... Да ладно, короче, со Степаном у нас любовь-морковь, дело к свадьбе, и вдруг... Звонит мне Валентин просто в ужасе. Говорит — арестовали Степана по подозрению в убийстве. Этого быть не может, надо его спасать. Он, Валентин, со своей стороны сделал все возможное и невозможное, а я должна обратиться к адвокату от своего имени, потому что от него, Валентина, Степан помощи не примет, гордый чересчур. Адвоката он нашел, Маргариту Ольшанскую, она классная, ни одного дела еще не проиграла.

Денег на адвоката он, конечно же, даст. Я в слезы. Но делать нечего, нахожу эту Ольшанскую, молодая баба, красивая, уверенная такая... Она берется за это дело... И тут выясняется, что в ночь убийства Степан был у меня...

— Лиз, а такое алиби принимают в расчет? Ты же лицо заинтересованное... Почти что родственница?

— Его еще соседка видела и камера наблюдения его машину зафиксировала. Короче, Ольшанская обещает, что все будет в порядке, тут и волноваться не о чем...

— Ты чего ревешь? Дальше-то что?

— А дальше я... сама, своими руками... на десять лет любимого своего... На десять лет...

— Что ты сделала, идиотка?

— Мне накануне суда пришло сообщение, что на мой счет зачислена сумма в сто пятьдесят тысяч евро. Я ничего не понимаю, решаю, что это ошибка, бегу в банк, там говорят, нет, никакой ошибки. Я жутко испугалась и не зря. Ночью ко мне вломились два амбала с такими рожами... ужас просто... ножами поигрывают и требуют, чтобы я на суде отказалась от своих показаний. Если откажусь, доживу до старости с хорошими бабками и найду себе другого мужика... А если не откажусь... тоже доживу до старости, но с такой рожей, что ни один мужик на меня не взглянет... И здоровье они мне испортят как нечего делать, и деньги-то уж точно заберут... И один из них для наглядности ножичком мне по груди полоснул... Как я кровь увидела... сразу пообещала все, чего они требовали. Поверила, что они все свои угрозы исполнят... Как они ушли, бросилась я звонить Валентину, а он... недоступен.

— А что ж ты адвокатше своей не позвонила?

— Они сказали, если я хоть слово адвокатше вякну, меня просто убьют.

— И ты с дорогой душой сдала обоих?

— Каких обоих?

— Хирурга и адвоката.

— А при чем тут...

— Ох, ты и дура...

— Знаю, что дура, знаю, но ты мне растолкуй... Хотя нет... не надо, не хочу я ничего больше знать. Ты помоги мне уехать, Христом богом молю.

— Ну, с такими бабками, какие тебе за предательство обломились, я тебе за сутки визу в Европу сделаю. Да, а денежки-то не ушли со счета?

— Нет. Я поняла, это все Валентин... он все нарочно подстроил.

— Ну да, он сообразил, что за деньги ты на все способна.

— Светик, если бы ты знала, как мне страшно и как тошно...

— Догадываюсь.

— Да где тебе... Ты посмотри, что они мне на память оставили.

— Ох ты, господи, и вправду ножиком полоснули... Ладно, я сейчас звякну одному пареньку насчет визы. Загранпаспорт с собой?

— Да.

— В Европе есть какие-то предпочтения?

— Англия.

— Нет, с Англией не выйдет. Только страны Шенгена.

— Тогда все равно! Сколько это будет стоить?

— Точно не знаю, но за сверхсрочность, думаю, тысячи полторы-две евриков.

— Пусть!

— А вот интересно, сто пятьдесят штук евриков в наше время — это больше, чем тридцать сребреников две тыщи лет назад?

— Светка!

— Что Светка? Что Светка? Я тебе, конечно, помогу смыться, но предательство всегда буду называть предательством.

— Эх, Светка, не дай тебе Бог оказаться в моем положении!

— Мозги надо вовремя включать, подруга!

На этом запись обрывалась.

Все сидели молча.

— А мне эту кретинку даже жалко, — вдруг проговорил Дмитрий Захарович. — Я явно переоценил ее змеиность, она не змея, а просто непроходимая дура. И это меня удручает. Захар, как ты мог этого не замечать?

Захар скривился и промолчал.

— Мужчины вообще предпочитают иметь дело с дурами, и чем дурей, тем лучше, — пожала плечами Рита. — Захар, встречаться с ней тебе уже незачем, разумеется, если ты сам не хочешь.

— Конечно, не хочу. И не хотел, это ты настаивала.

Зазвонил домашний телефон. Захар снял трубку.

— Алло! Лиза? Да, я. Не сможешь? Ну что ж, на нет и суда нет. Всех благ!

— Это она, — пояснил он, — отказалась от встречи. Голос несчастный.

— Голубушка, — обратился к Рите Дмитрий Захарович, — что вы теперь намерены делать? Вы знаете этого олигарха?

— Знаю, — со вздохом ответила она. — И понимаю, за что он взъелся на меня. При чем тут Гурьев, пока в толк не возьму, но что-то явно есть. И меня удивляет, что он не отнял у этой дурищи деньги, это было бы вполне в его духе.

— Может, она ему просто понравилась, — предположил Дмитрий Захарович. — Она ведь довольно аппетитная бабенка...

— Еще не вечер, может и отнять, — заметил Захар.

— Да бог уже с ней, — поморщилась Рита. — Но я этого типа выведу на чистую воду. Только никакой он не олигарх, просто разбогатевший бандит, все его связи — чисто криминальные, и, насколько мне известно, ему пришлось отойти от активных дел. Денег нагреб много и заскучал. Вот и развлекается на досуге. Мстит обидчикам. Сволочь, конечно, редкая, но он не так уж хорошо все рассчитал. Зато я теперь по крайней мере многое понимаю и знаю, куда копать...

— А тебе не кажется, что ты недооцениваешь противника, а? Попахивает шапкозакидательством! — заметил Захар.

— В самом деле, деточка!

— О нет! Это он меня недооценивает. Дмитрий Захарович, дорогой вы мой, это ведь вам первому пришло в голову, что эта история направлена и против меня. Снимаю шляпу! А теперь я сделаю то, чего еще ни разу не делала — воспользуюсь добрым отношением ко мне одного дядечки из Следственного комитета. И уж прости, Захар, Лизу твою сейчас никак нельзя выпустить за границу, она нужна нам как свидетель...

— Она побоится.

— У нас теперь работает программа защиты свидетеля, да это вряд ли даже понадобится. Заверяю вас, с ней все будет в порядке. Не такой уж могущественный этот Валентин, а на этом деле я его окончательно свалю! А сейчас, дорогие мои Тверитиновы, я с огромным сожалением покину вас. Труба зовет! И знайте оба — мое сердце принадлежит вам безраздельно!

— Но моему внуку, я надеюсь, чуточку больше?

— Самую чуточку! — рассмеялась Рита и тут же умчалась.

— Боже, какая женщина! — воскликнул Дмитрий Захарович. — Ты, Захарка, будешь последним мудаком, если ее упустишь!

Чтобы хоть как-то отвлечься от впечатлений последних двух дней, Захар решил заняться работой. Она всегда помогала ему отрешиться от всех неприятностей и посторонних дел, но сегодня, впервые за много лет, ничего не получилось. Он волновался за Риту, все его мысли были с ней. Дед прав, если я ее упущу, буду последним мудаком. Куда она сейчас помчалась, в выходной день, почему не взяла его с собой? Ах да, там же какой-то «дядечка из Следственного комитета», к которому она до сих пор никогда не обращалась и который ей благоволит. И тут же Захар ощутил сильнейший укол ревности. А с этим жить невозможно. Но тут зазвонил его мобильник.

— Алло, я слушаю! — крикнул он, даже не взглянув на дисплей.

— Захар? Здравствуй, милый, это мама.

Он растерялся.

— Да, добрый вечер.

— Захар, я хочу поблагодарить тебя, ты мне доставил такую радость...

— О чем вы? Какую радость? — крайне удивился он.

— Мне сегодня позвонила моя старая подружка, Танечка Маркарьян. Оказывается, ее сын работает с тобой...

— Да, да, Армен отличный, очень способный парень.

— Я так обрадовалась ее звонку, ты не представляешь... И она сказала, что приедет ко мне в гости недельки через две. Это такая радость... Она такая милая, Танечка... Мы в институте дружили, а теперь наши сыновья вместе работают. Спасибо тебе, дорогой! Знаешь, с тех пор, как ты побывал у меня, моя жизнь каким-то образом вдруг изменилась к лучшему, вот и старая подружка нашлась, мы же больше сорока лет не виделись...

— Очень рад за вас. Да, я рассказал Татьяне Ашотовне про ваш пирог с виноградом, она жаждет научиться его готовить. Она тоже великолепная кулинарка...

Господи помилуй, что я несу? Но я ей-богу не знаю, что говорить.

— Скажи, Захар, а с Ритой ты видишься?

— О да!

— Как хорошо! Она тебе подходит, из вас получится чудесная пара. Захар, я понимаю, ты очень занятой человек, но можно я буду иногда звонить... Просто так...

— Да, разумеется, можно.

— Спасибо, дорогой. И пожалуйста, передай привет деду. И мою огромную благодарность.

— За что?

— Он поймет. Все, дорогой, прости, если помешала.

И она повесила трубку.

Как странно, ее звонок и ее слова совсем не вызвали у меня раздражения. Только недоумение — я совершенно не знаю, что говорить.

Все мысли о работе окончательно выветрились из головы.

— Дед, ты не очень занят?

— Занят, но если тебе приспичило поговорить... Садись.

— Дед, сейчас звонила Инга Вячеславовна...

Дмитрий Захарович вопросительно взглянул на внука.

— Говорила всякие слова... а на прощание просила передать тебе привет и огромную благодарность. Я спросил за что, а она сказала, ты сам поймешь. Ты понимаешь?

— Да, Захарка, ты таки поглупел, я бы даже сказал, сдурел от любви. Что ж тут непонятного? Твоя мать благодарит меня за то, что я вырастил тебя в общем-то хорошим человеком, добрым и порядочным. И еще немножечко за то, что относился к ней достаточно снисходительно, в отличие от бабушки. Как говорится, это и козе понятно.

— Она спросила разрешения звонить... просто так, я не возражал. И странно, ни малейшего раздражения. И она тоже в восторге от Риты.

— Ну так хорошо же...

— Да, вероятно...

Опять зазвонил телефон.

— Алло! — ответил Захар.

— Захар Алексеевич, здравствуйте, это Рита Метелёва.

— Здравствуйте. Добрый день.

— Ну, вообще-то уже вечер.

— Хорошо, добрый вечер. Что-то с Ильей?

— С ним, слава богу, все отлично. Его послезавтра выписывают и отправляют в санаторий, под Москву... Знаете, после вашего визита он стал быстрее набираться сил и вообще... как-то воспрял духом.

— Очень рад.

— Захар Алексеевич, мне неудобно вас просить...

— Слушаю вас.

— Не могли бы вы завтра заглянуть к нему хотя бы на пять минуток... В воскресенье можно в любое время.

— Да, непременно, тем более если мой визит имеет определенный терапевтический эффект, — засмеялся Захар, — я просто обязан навестить его.

— Захар Алексеевич, знаете... — в голосе ее слышалось смущение, — тот человек... ну, вы понимаете, о ком я, он... вернулся.

— Вот как? Вас это радует?

— Да, очень.

— Ну что ж, рад за вас.

— Он мне все объяснил...

— Послушайте, Рита, мне совершенно незачем знать детали...

— Да-да, вы правы, извините.

— А к Илье я завтра непременно загляну.

— Я не ослышался, ты сказал «Рита»?

— Это совершенно другая Рита, дед. Сестра Ильи Извекова.

— Мне не понравилось, как ты закончил разговор! «Мне незачем знать детали!» Это было по меньшей мере невежливо, подчеркиваю, по меньшей мере.

— Дед, это такая идиотическая история...

— Расскажи.

— Делать тебе нечего, что ли?

— Валяй, рассказывай, считай, это просто старческое любопытство.

— Хорошо, как скажешь... — пожал плечами Захар.

Дмитрий Захарович внимательно выслушал внука.

— Ну что ж, могу сказать, что в этой и вправду идиотической истории ты повел себя достойно, мой мальчик. Может, даже спас эту влюбленную дурочку от какой-то большой глупости. А этот ее кавалер, похоже, просто проходимец. Видите ли, он все объяснил... он ей, как вы теперь говорите, лапши на уши навешал, а она и рада, всему поверила. Забавно, что она тоже Рита. А скажи честно, если бы она не удрала из Тель-Авива, ты мог бы закрутить с ней?

— Думаю, что нет. Когда погасло сияние, она оказалась не слишком интересной.

— А самому включить это сияние не хотелось бы?

— Дед, — поморщился Захар, — ты не можешь не знать, что история не терпит сослагательного наклонения. К тому же через два дня я встретил другую Риту. Скажи, а с чего это ты вдруг стал интересоваться моими любовными делами?

— А с того, что раньше практически нечем было интересоваться. Эта твоя гусыня Лиза...

— Дед, разве бывают подколодные гусыни? — фыркнул Захар.

— Признаю, я ее переоценил. Самая банальная глупая гусыня. Хотя с этим хирургом она все же поступила как настоящая подколодная змеюка. Если влюбилась, обязана была рассказать ему все, предостеречь. Нет, она даже не гусыня, гусь все-таки полезная и чрезвычайно вкусная птица, она просто минога.

— Почему минога? — страшно удивился Захар.

— Производит впечатление мелкой змеи, а по сути просто рыбешка, к тому же невкусная.

— А я люблю миноги.

— Ну, а я о чем? Пять лет угробил на эту миногу. Тьфу!

Телефон Риты был заблокирован. Захар не находил себе места. Он лег в постель, но сна не было. Что это со мной? Забота юности любовь? Не было у меня в юности никакой любви, только игра гормонов. Интересно почему? Все столько талдычат про первую любовь. Не было ее у меня. Первая женщина была, а первой любви не было. Правда, первой женщине было тридцать, а мне вдвое меньше. Она была хороша, и даже первый опыт с ней был прекрасен. С ней я прошел хорошую школу, а это, вполне возможно, куда важнее для дальнейшей жизни, чем юношеские воздыхания и быстрые неловкие перепихи под страхом быть застигнутыми не вовремя вернувшимися родителями. Именно так случилось с Дэном, школьным дружком. Он говорил, что, кроме отвращения, первый сексуальный опыт ничего у него не вызвал. И его первая трепетная любовь к Ленке Козыревой на этом и закончилась. Черт подери, что за мысли? Рита... моя рыжая кошка. Еще не моя... Но будет! И гори оно все синим пламенем. Да, там же есть еще этот журналюга со смешной фамилией Белолицый. У нее явно был с ним роман. Но она же сама недвусмысленно сказала, что любит меня. Ох, грехи наши тяжкие. И тут зазвонил телефон. Рита! В такое время? Неужели что-то случилось?

— Алло! — закричал он. — Ты в порядке?

— Я тебя не разбудила?

— Нет, я с ума схожу от волнения...

— Как это мило... Захар, ты можешь сейчас ко мне приехать? И, чтобы ты не задал мне дурацкий вопрос «зачем», отвечаю сразу — затем!

— Любимая! — задохнулся он. — Еду!

Он вскочил, мгновенно оделся, оставил на кухонном столе записку «Я к Рите», сел в машину и по пустеющим улицам помчался на Сокол. Ни одной хоть сколько-нибудь связной мысли в голове не было.

Рита открыла ему так быстро, словно стояла под дверью. На ней был легкий зеленый халатик, рыжие кудри рассыпались по плечам.

— Приехал! — выдохнула она и повисла у него на шее.

— А твоя мама?

— Мама на два дня уехала в Питер, к сестре.

Она целовала его, пытаясь стащить с него куртку вместе со свитером.

— Я не успел побриться...

— Плевать! Я люблю тебя любого...

Когда они пришли в себя, Рита вдруг приподнялась на локте, погладила его уже заросшую щетиной щеку и прошептала:

— Знаешь, никогда бы не подумала, что лучшим мужчиной в моей жизни окажется небритый профессор... Смешно... Но мне никогда ни с кем не было так хорошо.

— А... Их было много?

— Ты же не мог не понимать, что я не девственница, а остальное не имеет значения. Скажи, а в ранней юности у тебя была взрослая женщина?

— Почему ты спрашиваешь?

— Ты явно прошел хорошую школу. Можно сказать, что ты профессор не только своих наук... Фу, это, кажется, прозвучало достаточно пошло, да?

— Пожалуй! Но зато лестно, — засмеялся он. — Хотя в устах любой другой женщины звучало бы непереносимо.

— Захар, я сейчас скажу, вернее, задам один вопрос, тоже, наверное, непереносимый в любых устах и тем более в такой ситуации. И если ты ответишь «нет», в наших отношениях ровным счетом ничего не изменится...

— О, какая длинная преамбула. Судя по всему, этот вопрос тебя несколько смущает...

— Захар, я...

— Помолчи! Что может смущать такую женщину, как ты? Только одно. И я, даже не слыша вопроса, сразу отвечу твердое «да»!

Рита вдруг пошла красными пятнами.

— Погоди, а вдруг ты имеешь в виду что-то другое?

— Не думаю, — засмеялся Захар. — Признавайся, ты хотела спросить, а не пожениться ли нам? Так?

— Господи, Захар, но как ты догадался? И ты сказал «да»? Мне не померещилось?

— Нет, не померещилось.

И они вновь накинулись друг на друга. Только уже под утро, засыпая, Рита пробормотала:

— Вот что значит встретиться впервые на Святой земле!

Захара разбудил запах кофе. Он вскочил, натянул трусы и босиком пошлепал на кухню. Рита, уже одетая, причесанная, что-то жарила на плите. Стол был изящно сервирован.

— О, привет, соня!

— Привет, невеста!

— Да ладно, я пошутила.

— Врешь!

— Вру! — рассмеялась она. — Просто беспардонно вру!

— Ты невероятно красива... Я с ума по тебе схожу, да нет, уже сошел, окончательно и бесповоротно! Только знаешь, давай не будем устраивать эту канитель со свадьбой, а?

— Конечно! Да я и сама все это терпеть не могу. Устроим только семейный обед — мы с тобой, твой дед и моя мама. А потом уедем куда-нибудь не очень далеко и не очень надолго. И вот еще что — я разрешу тебе ходить небритым, тебе это идет...

— Да нет уж, моя дорогая, уж лучше я буду бриться, а то в один прекрасный день ты мне скажешь: меня тошнит от твоей небритой рожи.

— Не исключено!

— Можно я приму душ?

— Разумеется, можно. Я приготовила в ванной зеленые полотенца, они твои!

...Боже мой, думал он, стоя под душем, кажется, это счастье, и дело совсем не в том, как мне хорошо с ней в постели, нет, главное, мы так легко общаемся, так понимаем друг друга с полуслова, полувзгляда... Так, я помню, общались дед с бабушкой. Только в таком случае имеет смысл быть вместе...

Кажется, я счастлива, я нашла мужчину своей мечты, и дело вовсе не в том, что он изумительный любовник, а в том, как он меня понимает, а я его... И общаемся мы с ним, совсем как когда-то мама и его отец, дядя Леша... Но мама только мечтала носить фамилию Тверитинова, а я, похоже, скоро буду ее носить...

Захар вернулся на кухню со словами:

— У меня есть только одно условие — ты возьмешь мою фамилию! Эй, ты что, ревешь? Ты умеешь плакать? С чего бы это?

— Просто от счастья...

— А, тогда реви!

Утолив первый голод, Захар спросил уже вполне серьезно:

— Скажи, что тебе вчера удалось сделать?

— Кое-что удалось. Я пока не хочу говорить из суеверия. Завтра я переговорю с Гурьевым, мне необходимо выяснить, что связывает его с Валентином, и уже в зависимости от результатов этого разговора намечу план дальнейших действий. Да, кстати, когда вчера вы с Дмитрием Захаровичем слушали запись, если ты помнишь, Светлана испуганно ахает. Это Лиза показала ей царапину на груди. След от ножа...

— Да, я так и понял. А между прочим, когда ты ушла, дед сказал: «Если ты упустишь такую женщину, будешь последним мудаком»! Но я им не буду!

Рита погладила его по небритой щеке.

— Люблю тебя. И деда твоего тоже. И отца твоего любила. Я даже маму твою могла бы полюбить. Она в этом очень нуждается, Захар.

— Знаю. Но у меня пока не получается. А ты люби, ради бога! Она, кстати, мне вчера звонила, спрашивала о тебе, она убеждена, что из нас получится хорошая пара.

— А мы ее обязательно тоже позовем на наш свадебный обед.

— Как скажете, сударыня! — улыбнулся он.

— Что еще твоя мама сказала?

— Что через две недели к ней в гости приедет Татьяна Ашотовна. Подружки через сорок лет сольются в экстазе.

— Это же так чудесно, Захар. Но только пока...

— Можно я продолжу твою фразу?

— Попробуй!

— Пока ты не разделаешься с делом Гурьева, никаких свадеб! Я прав?

— На все сто!

— А сейчас надо поскорее обрадовать деда. Поедешь со мной?

— А ты сегодня свободен?

— Практически да. Мне нужно только наведаться в Первую Градскую, там лежит мой студент, поистине гениальный парень.

Его послезавтра отвозят в санаторий. Но это займет от силы час.

— Отлично! А я пока пообщаюсь с Дмитрием Захаровичем. Сейчас уберу со стола и поедем.

— Я, наверное, должен купить тебе цветы... Да?

— Цветы, кольцо и коленопреклонение? К чертям собачьим! Знаешь, что мы с тобой сделаем перво-наперво, чтобы отметить нашу помолвку или обручение? Не знаю точно, как это называется.

— Ну?

— Заедем в ГУМ.

— В ГУМ? — крайне удивился Захар.

— Ага! И нажремся там мороженого!

— Мороженого? Но почему в ГУМе?

— А в ГУМе продают сказочное мороженое в стаканчиках. Мама говорит, что это мороженое ее детства. Тогда такое мороженое продавали только в ГУМе, ЦУМе и в «Детском мире» на Лубянке. Но раньше оно было только трех сортов — сливочное, шоколадное и крем-брюле. А теперь каких только сортов нет. Как тебе такая идея?

— Зашибись!

— Ой, а я даже не знаю, ты вообще-то любишь мороженое?

— Обожаю! Но даже если б не любил, все равно согласился бы. Уж больно экстравагантная идея. Я в восторге! Поехали!

Дмитрий Захарович встретил их лукавой улыбкой.

— Ну, чем порадуете старика?

— Дмитрий Захарович, вы знаете... Захар сделал мне предложение, и я его приняла.

— Рад, просто несказанно рад, но сдается мне, это ты ему предложение сделала, — рассмеялся старик. — Я своего внука знаю.

— Нет, дед, ты не прав. Рита только еще собиралась это сделать, а я догадался и, даже не услышав вопроса, ответил «да».

На глазах старика внезапно выступили слезы.

— Дед, ты чего? — испугался Захар.

— Знаете, ребята, точно так же было у меня с моей Тамарочкой. Точно так же!

И дай вам бог прожить так же долго и счастливо, как мы...

Рита обняла и поцеловала старика.

Он тоже поцеловал ее.

— Я надеюсь, вы будете жить здесь? Не бросите старика на попечение Веры Борисовны, хоть она и золотой человек?

— Да ты что, дед? С какой это стати? Тут места, слава богу, всем хватит.

— И вашему потомству тоже. Хотелось бы дожить до правнуков, ребятки.

— А что, дед, запросто доживешь в такой-то веселой компании! А сейчас я оставлю Риту на тебя, она расскажет тебе о наших планах на ближайшее будущее, а мне надо навестить Илью. Я ненадолго.

— Можешь особо не торопиться. Мы с Ритой скучать не будем.

— А вы сварите мне ваш волшебный кофе?

— Разумеется, сварю и даже, пожалуй, раскрою его секрет. А то кто станет варить кофе моему внуку, когда я преставлюсь? Он у меня парень избалованный.

— Дед, не начинай!

— Нет-нет, я вовсе не собираюсь покидать вас, дети мои, но хотя бы из суеверия должен так говорить. А теперь ступай к своему Илье.

Захар вышел на улицу. Промозглая московская сырость мешалась с запахами прели из Нескучного сада, и этот запах вдруг показался Захару упоительным. И запах Риты словно преследовал его. Откуда бы? Мерещится, наверное... Ах нет, это мой шарф пропах ее духами. Надо же, как хорошо. Он ощущал такой подъем, такую радость жизни, что хотелось немедленно с кем-то ею поделиться. Он сам не понял, почему вдруг достал телефон и набрал этот номер.

— Алло, мама! — неожиданно для самого себя произнес он легко, без запинки.

— Боже мой, Захар, сыночек! — сразу заплакала она.

— Мама, мы с Ритой решили пожениться.

— Ох, как хорошо... Это такая радость...

— И еще, мы хотим, чтобы вы приехали на нашу свадьбу. Никаких пышных церемоний не будет, просто обед... Семейный... Мы с Ритой, ее мама, дед и вы.

— Господи, сыночек, сегодня самый счастливый день... Погоди, я от радости даже не знаю, что сказать... Что полагается говорить в таких случаях. Сыночек мой... Скажи, ты счастлив, да?

— Да, мама, счастлив как дурак... А между прочим, если бы не вы... Ведь я ее встретил благодаря вам.

Она захлебывалась от рыданий. А он ощущал такой восторг от собственного великодушия и, чего греха таить, огромное облегчение от того, что научился говорить слово «мама».

Илью он нашел в соседней палате, где парень играл в шахматы с другим пациентом.

— Ой, Захар Алексеевич, вы пришли! Спасибо огромное! Идемте в мою палату, я вам покажу, как я исправил ту работу...

— Успеется с работой. Скажи лучше, как ты себя чувствуешь?

— Да хорошо!

— А что врачи говорят?

— Да что обычно говорят врачи? Режим, осторожность, лекарства — короче, страшная скука. А теперь еще и санаторий, вообще тоска смертная.

— Ничего, переживешь. Надо набираться сил, у меня на тебя большие виды.

— Захар Алексеевич, а можно задать вам нескромный вопрос...

— Нескромный? — улыбнулся Захар. — Валяй!

— Вам нравится моя сестра?

— Милая девушка... — растерялся Захар.

— Понимаете, она мне рассказала про вашу встречу в аэропорту. Я так вам благодарен за нее. Она такая... вечно влюбляется черт-те в кого... А они почему-то ее бросают. Жалко ее.

— Илюша, твоя сестра мне звонила вчера и сказала, что тот человек к ней вернулся...

— Сейчас почему-то вернулся... Но мне он ужасно не нравится. Он приходил с ней ко мне. И почему-то расспрашивал о вас...

— Обо мне? С какой стати? А, вероятно, твоя сестра (он органически не смог произнести «Рита» в связи с другой женщиной) рассказала ему о нашем знакомстве и он, возможно, приревновал...

— Нет-нет, она даже меня предупредила, что ни единым словом ему о вас не обмолвилась, нет, просто он журналист и жаждет написать о вас статью и взять интервью, а я же ваш студент...

— Статью, говоришь? Интервью? А как его зовут, этого представителя второй древнейшей?

— У него совершенно дурацкая фамилия — Белолицый.

— Черт побери!

— Вы его знаете?

— Я один раз уже послал его. Знаешь, видимо, твоя сестра любит его, а он... мелкий подлый тип. И чудовищный циник. Твою сестру надо от него спасать...

Захара трясло от бешенства. Этот подонок собирался отдыхать в Израиле с Ритой Метелёвой, но в последний момент узнал, что Рита Ольшанская в Израиле, и предпочел смыться. Трусливо и гадко. Сволочь, кретин! Как моя Рита могла с таким связаться, где были ее глаза?

— Захар Алексеевич, что с вами?

— Да ладно, Илюша, в конце концов, твоя сестра уже взрослая, сама разберется. Хуже нет лезть в дела влюбленных девушек. И потом я могу быть необъективным. Давай сюда свою тетрадку, я посмотрю и свяжусь с тобой. Напиши мне свой электронный адрес. Вот, отлично! Ну, я пойду, дел по горло!

— Уже? Жалко. Рита хотела с вами увидеться.

— Как-нибудь в другой раз. Выздоравливай, брат. Негоже в таком возрасте и с таким талантом по больницам околачиваться. Ну, бывай!

...Захар вышел в коридор и остановился у окна перевести дух. И чего я лезу в бутылку? Мне что, больше всех надо? Вот сейчас вернусь домой, а там моя Рита, моя рыжая кошка, мое чудо! Мало ли что у нее в жизни было? Больше не будет, и это во многом зависит от меня, надо отдавать себе в этом отчет. Он выдохнул.

Выйдя из здания больницы, он сразу увидел спешащую ему навстречу Риту Метелёву под руку с Арсением Белолицым. Девушка сияла так же, как тогда в аэроэкспрессе, а Белолицый выглядел испуганно.

— Захар Алексеевич, вы уже уходите? Погодите минутку, я хочу вас познакомить...

— Я, к сожалению, уже знаком с этим господином, — с плохо сдерживаемой яростью проговорил Захар и вдруг двинул Белолицему в рожу. Рита завизжала. Белолицый, похоже, не умел драться, а Захар двинул его еще раз. Журналист попытался дать сдачи, но тут Рита выхватила из сумочки какой-то баллончик и брызнула Захару в лицо, спасая своего героя.

Захар закашлялся и схватился за глаза. Неизвестно, чем бы дело кончилось, но тут откуда ни возьмись появился полицейский и, недолго думая, надел на Захара наручники.

— Граждане, пройдемте в отделение! — как-то радостно проговорил он.

— Да! Пройдемте! — пылал праведным гневом Белолицый.

Захар не мог даже слова сказать, из глаз катились слезы, из носу лило, он кашлял и задыхался. Рита рыдала.

Всех троих доставили в отделение.

— Ну, господа хорошие, давайте разбираться. Предъявите ваши документики! Скуратов, сними с него браслетики! Гражданин, ваши документики! И вы, девушка, документики давайте! Так-так, вы, потерпевший, значит, журналист у нас... Надо же, Белолицый... Так, теперь вы... Тверитинов Захар Алексеевич, вы кто у нас будете?

— Профессор Московского университета, — уже более или менее членораздельно произнес Захар.

— Правда, что ль?

— Правда, — хлюпая носом, подтвердила Рита Метелёва.

— И что ж это вы, господин профессор, мордобоем занимаетесь? Какой пример молодому поколению подаете?

— Подлецов не люблю. А я имею право на один звонок!

Полицейский неласково покосился на журналиста. Не любил он эту братию. Кто знает, чего от него можно ждать? Правда, он пострадавший, но рожа у него прохиндейская... Драчливый профессор нравился ему больше. Да и всяко лучше придерживаться буквы закона.

— Имеете. Только один звоночек!

Рита откликнулась сразу.

— Захар, ты куда запропастился?

— Я в нашем отделении полиции. Меня забрали за драку!

— Поняла. Сейчас буду.

— Что-то стряслось? — поинтересовался Дмитрий Захарович.

— Ваш внук угодил в полицию. За драку. Побегу вызволять.

— Да, такому драчуну жена-адвокат просто необходима.

— А он драчун?

— Еще какой! Интересно, кому он на сей раз успел набить морду?

— Бегу!

Рита влетела в отделение «вся как божия гроза». Капитан Вермишев ахнул. Белолицый позеленел, Рита Метелёва тихо плакала. Профессор Тверитинов тер глаза платком.

— Дамочка, вы кто будете? — не сразу оправился от эстетического шока капитан.

— Я адвокат профессора Тверитинова Маргарита Ольшанская!

Она помахала перед его носом своим удостоверением.

— Что тут произошло? Ба, а ты здесь каким боком, Арсений? А, вижу, ты пострадавший? И за что тебе профессор врезал?

— За дело, — буркнул Захар.

— Я совершенно ничего не понял, — как-то вкрадчиво начал Белолицый. — Похоже, это был взрыв немотивированной ярости, что свидетельствует о нездоровой психике уважаемого профессора.

— Захар Алексеевич, может, вы объясните? — холодно-официальным тоном осведомилась Рита.

— Извольте! Этот тип обидел даму, я счел необходимым проучить его, правда, дама мой порыв не оценила и брызнула в лицо какой-то дрянью, и вот я здесь. Более подробно я ничего объяснять не стану. Пострадавший вправе подать заявление. Я все сказал.

— Господин Белолицый, вы намерены подавать заявление?

— Нет-нет, ни в коем случае. Тем более, что против госпожи Ольшанской у меня шансов нет, — добавил он довольно ядовито.

— Хорошо, что ты это понимаешь! — прошипела Рита Ольшанская.

— Значит, кончим дело миром? — с облегчением подвел итог капитан Вермишев.

— Да-да, безусловно, — поспешил сказать Белолицый.

— Захар Алексеевич, простите, ради бога, простите меня, — взмолилась Рита Метелёва.

— Да я-то прощу, в конце концов, ситуация типичная — вступишься за женщину, а она тебя же и обвинит во всех смертных грехах. Впредь буду умнее. Всех благ, девушка!

Он властно взял под руку Риту Ольшанскую и повел прочь от рыдающей Риты Метелёвой и журналиста Арсения Белолицего.

— Что это было, Захар?

— Хрень. Интеллигентская хрень.

— Может, все-таки объяснишь? Кто эта рыдающая особа?

— Ее тоже зовут Рита. Она сестра Ильи.

— А подробнее?

— О, это долго, скучно и глупо.

— Захар, учти, я сейчас спрашиваю не как твоя женщина, а как твой адвокат.

— Приехали!

— Профессор Тверитинов, извольте объяснить.

— Что я должен объяснять?

— За что ты врезал Арсению?

— За дело.

— И все-таки!

— Отстань, у меня глаза болят.

— Надо немедленно к врачу.

— Еще чего! Промою чаем, и все пройдет. Проверено.

— Ты хочешь сказать, что тебе не первый раз брызнули в глаза?

— Было дело. А если тебе так уж интересно, спроси деда. Он в курсе.

— Спрошу, не сомневайся.

— Я и не сомневаюсь. Но за столь быстрое появление — спасибо. А то пришлось бы посидеть в обезьяннике, удовольствие ниже среднего.

— А тебе и в обезьяннике сидеть приходилось?

— А как же!

— Да, я в тебе не ошиблась! — с восторгом проговорила Рита и прижалась к нему. — Ты настоящий мужик, профессор, я вас не только люблю, но еще и очень-очень уважаю!

— За то, что я сидел в обезьяннике?

— За то, что ты мужик, теперь таких мало.

Эпилог

Через три месяца, после долгих проволочек Степана Гурьева выпустили из тюрьмы, сняв с него все обвинения. А Валентин Васильевич Рубайло, наоборот, сел в тюрьму с таким букетом обвинений, что ему светил пожизненный срок. На Гурьева он возвел напраслину за то, что тот многое знал о его махинациях с медикаментами в военном госпитале в Чечне, где оба служили. Самое забавное, что он умолял адвоката Маргариту Ольшанскую взяться за его дело. Но она категорически отказалась.

Свадьба Риты и Захара состоялась, как и было задумано. Они отметили ее впятером, по-семейному. Но свадебного путешествия не было. Захару предстояло завершить очень важную серию опытов, а Рита плохо себя чувствовала — у нее был сильнейший токсикоз.

Рассказы

МОСКВА

САМОТЕКА

Москва. Самотека

Москва! Самотека! Золотая осень. С ума сойти! Сколько лет он тут не был? Двадцать? Двадцать пять? Как все изменилось, и бульвар тоже стал каким-то другим. Совсем мало собак. А какое тут раньше было дружное сообщество собак и собачников. Он тоже выгуливал тут своего пса, дворнягу-найденыша по кличке Май. Ах, какой чудесный был пес — красивый, веселый, добрый. Только детей не любил, видно, натерпелся от них в пору своего бездомья. И ничего от тех лет в жизни не осталось — ни пса, ни Самотеки, ни Москвы... Теперь он тут заезжий иностранец. Немолодой заезжий иностранец, впрочем, до сего дня не ведавший ностальгии. А сегодня накрыло! Эта золотая листва на деревьях и под ногами, этот запах московской осени, совсем особенный... А собак что-то вообще не видно. Или их теперь запрещают тут выгуливать? Хотя нет, вон идет девушка с ирландским терьером на поводке. Господи, а ведь у Лизы тоже был ирландский терьер... И она всем объясняла, что «Майкл, брат Джерри» у Джека Лондона был именно этой породы. Лиза... Интересно, что с ней сталось? И жива ли она вообще? Ее дома на Троицкой улице уже нет, снесли. Да и вообще за эти годы людей так разметало по миру. Ах, какая она была, яркая, рыжая как медный таз, гордая, независимая и удивительно нежная...

Девушка с ирландским терьером на поводке остановилась, достала из кармана ветровки сигареты. Черт возьми, сколько теперь в Москве красивых девушек. Просто на каждом шагу, одна другой лучше! Вот и эта... Хороша! Длинноногая, пышные каштановые волосы, загорелая, видно, недавно с теплого моря...

— Извините, пожалуйста, у вас случайно нет зажигалки?

И голос красивый, глубокий, с волнующей хрипотцой, а глаза! Какие-то сине-зеленые...

— Увы, нет, не курю, — развел он руками и улыбнулся.

Девушка вдруг нахмурилась, словно что-то припоминая.

— Простите, а мы... мы не знакомы?

— К сожалению, нет, не знакомы. Я бы не мог забыть такую интересную девушку.

Он знал, что в свои сорок девять еще нравится даже молодым девушкам. Но эта смотрела на него как-то иначе.

— А как... простите, как вас зовут? — вдруг спросила она.

Он заметил, что она даже затаила дыхание в ожидании его ответа.

— Меня зовут Максим. Максим Муратов.

— О-па! — вырвалось у девушки. — Ни фига себе!

— В чем дело? Мое имя вам что-то говорит? Вы занимаетесь молекулярной биологией?

Она вдруг рассмеялась.

— О нет, я занимаюсь фотографией. Меня зовут Кира.

— Очень приятно, Кира.

— Не знаю, насколько вам будет приятно... Мою маму звали Елизавета Рыбакова.

Кровь бросилась ему в лицо.

— Вы помните маму?

— Ну еще бы! Как она?

— Мама умерла в позапрошлом году.

— Ради бога, простите! Как жалко... Но откуда...

— У мамы сохранилось много ваших фотографий. И я вас узнала... Она... Вы были главной любовью всей ее жизни, она так говорила...

Он чувствовал себя ужасно! Эта девушка как будто в чем-то его обвиняла... А в чем он виноват? Конечно, прискорбно потерять маму, которой было от силы лет сорок пять.

— А, ладно, извините, я пойду. Джерри, идем!

И она почти побежала от него прочь. Но вдруг остановилась, достала сигареты и... зажигалку. Значит, ей нужен был просто предлог, чтобы подойти. А чего она, собственно, так разнервничалась? Жаль, что нас что-то связывает. Она хороша, очень хороша... В другой ситуации я бы приударил за ней...

И вдруг сердце замерло, даже дышать стало трудно. Уж не моя ли она дочь? Он медленно поднялся со скамейки, но застыл в нерешительности. Уносить ноги или подойти к ней и спросить напрямую? Девушка все еще жадно курила, не глядя на него. Она явно тоже пребывала в растерянности. И его вдруг неудержимо потянуло к ней. Она стояла и ждала.

— Простите, Кира!

— Нет, это вы меня простите! Зачем вам это все?

— Кира... скажите... вы моя дочь?

— Нет... то есть да... Нет, я не знаю, я не уверена... Просто мама показывала ваши фотографии и говорила: «Это твой отец». Но мне ничего не нужно... Я не хочу...

— Послушайте, Кира, но коль скоро жизнь так причудливо свела нас, давайте хотя бы поговорим.

— Я сейчас не могу, у меня работа...

— Тогда вечером встретимся?

— Да зачем? Зачем нам встречаться? Какое это все имеет теперь значение? Я вам триста лет не нужна, да и вы мне не шибко надобны. А тогда к чему болячки корябать? Все. Извините, я спешу!

Она в сердцах швырнула окурок на землю и ушла, сердито волоча за собой упирающегося песика. Боже, до чего ж она хороша! Он смотрел ей вслед, а потом наклонился и поднял с земли ее окурок со следами коричневой губной помады.

Прошло пять месяцев. Москва тонула в снегу. Самотечный бульвар в свете фонарей казался театральной декорацией к детской сказке. А все-таки собак тут стало меньше. Или рановато еще? Он знал, что придется подождать, но сидеть на скамейке невозможно, сыро и холодно, и он стал обходить бульвар, как делали все собачники и сейчас, и во времена оны.

Он заметил ее издалека. Светло-коричневая дубленка, джинсы, отвратительные полу-валенки с идиотским названием «угги», без шапки. А рядом плетется какой-то тип с карликовым шпицем на поводке. Такому не шпица выгуливать, а, как минимум, дога, сердито подумал он и прибавил шаг.

И вдруг она остановилась как вкопанная, что-то растерянно сказала хозяину шпица и решительно двинулась ему навстречу.

— Кира, добрый вечер, — охрипшим от волнения голосом произнес он.

— Вы зачем тут? Я же вам все сказала! Что, отцовские чувства взыграли? Так знаете что, засуньте эти самые чувства себе в задницу!

Он вдруг счастливо рассмеялся.

— Уже, Кира, уже!

— Что уже? — удивилась она.

— Уже засунул в задницу отцовские чувства. Тем более что я вам вовсе и не отец.

— Как это?

— Так это! Вы тогда швырнули на землю окурок, а я его подобрал...

— И что? Сделали генетическую экспертизу?

— Именно! И был счастлив узнать, что мы с вами не одной крови.

— Ну еще бы, зачем вам...

— Помолчать можешь?

— Ну?

— Знаешь, почему я был счастлив?

— Так понятно же...

— Ничего тебе, дурище, не понятно! Просто я влюбился в тебя по уши, совсем слетел с нарезки, ты мне снишься чуть ли не каждую ночь. Я мучился, думал, что я какой-то урод, втюрился в родную дочь...

Она молча смотрела на него, потом вдруг подпрыгнула, вскинула руку с криком «Йес!» и повисла у него на шее, лихорадочно шепча:

— Да, да, да, я тоже думала, что я урод, в родного отца... Боже, какое счастье... Я люблю тебя, а отца все это время просто ненавидела... Странно, да?

Они долго самозабвенно целовались на морозе.

— Скажи, а если бы экспертиза показала другое, как бы тогда было?

— Никак. Я бы просто исчез навсегда. И все прошло бы и у меня... и у тебя... как болезнь.

Она счастливо засмеялась.

— Скажи, а ты вообще кто? Где живешь, чем занимаешься: Ах да, молекулярной биологией... Ой, у меня столько вопросов!

— У нас впереди еще много лет, я успею еще на все твои вопросы ответить, а у меня вопрос только один — ты выйдешь за меня замуж?

— Дурацкий у тебя вопрос, папашка!

Жили-были

Жили-были старик со старухой, а вернее, старичок со старушкой. Эдакие божьи одуванчики. Каждый день выходили гулять на Самотечный бульвар. Сделают кружок и сядут на лавочку отдохнуть. И все умиляются — ну надо же, какая парочка, как они внимательны друг к другу, какая у них любовь.

И ни один человек, ни одна собака на бульваре знать не знали, ведать не ведали, что на самом деле не любовь их спаяла в единое целое, а ненависть. Они люто ненавидели друг друга столько лет, что, когда ненависть выжгла дотла их души, у обоих уже не осталось сил, чтобы расстаться. И теперь они сделали тот единственный шаг, что отделяет ненависть от любви.

Она была очаровательна, с виду легкомысленна и умна. А он умен, красив и очень упрям. Она полагала, что женщину надо завоевывать (тогда это еще впитывали с молоком матери), и он был с этим согласен, ему неинтересны были доступные женщины, и уж тем более агрессивные, которые не давали ему проходу, ведь он был красив и умен. Встретив ее в Большом зале Консерватории, он сразу понял — это она! А она подумала: пожалуй, это то, что нужно. Он больше полутора лет завоевывал ее, а она делала все, чтобы победа не досталась ему легко, хотя он очень нравился ей и ее маме с папой. А она категорически не нравилась его матери, однако он, как уже известно, был упрям.

Он окончил МГИМО, а она «Щепку». Но ее не взяли ни в один московский театр, и в кино тоже не звали. В те времена еще не было не только открытых кастингов, но и

слова такого никто не знал. А он радовался — она будет принадлежать только ему.
Его отправили работать за границу, для начала в Алжир. В те годы такое назначение
гарантировало хорошую работу по возвращении, а при режиме строжайшей экономии
даже кооперативную квартиру или, в худшем
случае, машину. Но они были так молоды, и
так им всего хотелось здесь и сейчас, а эко-
номные, иной раз до патологии, коллеги и их
жены вызывали только смех и презрение,
которые, впрочем, приходилось тщательно
скрывать даже в своей квартире, ибо все
знали, что квартиры сотрудников посольства
прослушиваются...

Они вернулись из Алжира с тремя чемоданами заграничного тряпья и с испорчен-
ными от неумеренного потребления афри-
канских фруктов зубами. И крайне недо-
вольные друг другом. Им бы развестись, но
нет, развод плохо отразился бы на его карь-
ере. И, приведя в порядок зубы, следующее
назначение они постарались использовать с
умом. Научились экономить и уже не были
изгоями среди экономных коллег. Только

делали это чуть изящнее других, словно бы посмеиваясь над собой.

Но она потихоньку начинала его ненавидеть. За что? Во-первых, за то, что не любила, за эту жизнь, которая когда-то казалась чуть ли не верхом счастья, за неудавшуюся артистическую карьеру и, как ни парадоксально, даже за то, что ей было хорошо с ним в постели. За то, что, собственно, ей не в чем было его упрекнуть.

Она забеременела. Он был счастлив. Ребенок родился мертвым. Она в глубине души вздохнула с облегчением. А он видел, что она вовсе не убита горем, и это казалось ему настолько диким, что он стал приглядываться к ней повнимательнее, и мало-помалу его несомненная любовь переросла в столь же несомненную ненависть. Но карьера неуклонно шла вверх, и нельзя было разрушать ее разводом.

Так и жили. Но, как люди из приличных семей, старались делать хорошую мину при плохой игре, и это им удавалось. Постепенно пришел достаток. Появилась хорошая квартира, машина. Она теперь ценила мужа, а он жену — ее очарование не раз сослужило ему хорошую службу. Они изменяли друг другу, но, разумеется, никак это не афишировали. О детях речь больше не заводили. Но где бы они ни появлялись, о них неизменно говорили — какая чудесная пара!

Они были уже не молоды, когда случилась Перестройка. Жизнь дипломатов перестала быть столь завидной, как прежде, но его младший брат затеял совместный бизнес с Францией и пригласил старшего в компаньоны. И не прогадал. Опыт, связи, превосходное знание нескольких европейских языков плюс обаяние и изысканные манеры его жены оказали неоценимую помощь в бизнесе. Она чрезвычайно оживилась и даже открыла в Москве один из первых бутиков. Потом еще один и еще. У нее был безупречный вкус, ее стиль и манеры внушали доверие нуворишам. С мужем они виделись редко, и обоих это устраивало. Она знала, что у него есть молоденькая любовница. Ну и что? Поветрие сейчас такое... А потом ее бизнес прогорел. На новый виток не было уже ни сил, ни средств. А он еще удержался наплаву. Но вскоре у него случился инфаркт, потом еще один... И кому теперь они были нужны, кроме друг друга? И за это еще больше друг друга ненавидели.

И вдруг они перестали появляться на бульваре. Кто-то сказал, что их обоих сбил на переходе пьяный водитель.

Ну надо же, говорили люди, какая любовь. Даже умерли в один день...

Одиночество

Жизнь медленно уходила из него. Так медленно, что иной раз хотелось ее поторопить. Покончить счеты с жизнью — это все-таки поступок, а на поступки не было сил. Все силы уходили на то, чтобы скрывать свое состояние от окружающих.

Желая понять, что с ним такое, не тревожа не слишком внимательное окружение, он полетел в Германию обследоваться. Проведя неделю в клинике, он узнал, что совершенно здоров.

Казалось бы, живи и радуйся. Но как радоваться своему безупречному здоровью, когда сил нет? А главное — никаких желаний. Самая любимая еда не доставляет удо-

вольствия, на женщин и смотреть не хочется... Из всех чувств оставалось лишь чувство долга. Оно заставляло его подниматься
по утрам, приводить себя в порядок и ехать
на работу. И никто ничего не замечал.

Иногда он подолгу смотрел на себя в зеркало. Неужто его состояние никак не отражается на лице? Похоже, что нет. Только
глаза потухшие. А так... Но кому есть дело
до его глаз? Нормальный тридцатисемилет-
ний мужик, вовсе не похожий на умирающе-
го. А он точно знал, что умирает. Но тогда
зачем я живу? Зачем длю эту муку? Чего
ради? Я просто плыву по течению. По течению Леты, усмехнулся он про себя. Но лиш-
ний грех брать на душу перед смертью не
хотелось. И так хватает...

Интересно, сколько я еще протяну? —
как-то отстраненно думал он иногда, при-
ползая вечером домой. И как хорошо, что я
живу один, можно наконец расслабиться.
И никто надо мной не квохчет. Хорошо! Как
выясняется, даже в моем состоянии еще
можно чему-то радоваться.

Однажды ночью он проснулся в холодном поту. Приснилось, что смерть стоит за дверью. Такая, как в дурацких фильмах — в саване и с косой. И хотя он не раз призывал ее, но сейчас ему было так страшно, как никогда в жизни.

Он встал, на цыпочках подошел к входной двери. Прислушался. Все тихо. Тогда он глянул в глазок. Никого. А я что, совсем идиот? Ждал, что там стоит старуха с косой? Или я еще и разум теряю? О нет, только не это! Но засыпать снова страшно.

И вдруг он ощутил неодолимую потребность выйти из дому. Четыре утра. Это не страшно. Пусть лучше какой-нибудь случайный наркоман шелдарахнет по башке... Может, тогда все само собой разрешится.

Он натянул джинсы, свитер, накинул ветровку и вышел из квартиры. Спустился почему-то пешком на первый этаж. Открыл входную дверь. Пахнуло сыростью. Дождь прошел, что ли? Да, асфальт мокрый. Но дышится легко. И он побрел в сторону Самотечного бульвара. Редкие машины проносились мимо. Ни одной живой души не встретилось по дороге. И на бульваре было пусто. Он доплёлся до первой скамейки и рухнул на нее. Скамейка была сырой, но встать сил не было. Совсем отвык ходить пешком. Он закрыл глаза. Ни сил, ни чувств, ни мыслей... Вот умереть бы тут, сейчас... Маму жалко. Он представил себе, как матери, живущей в далеком Барнауле, сообщат о таинственной смерти сына, еще молодого мужика с безупречным здоровьем, без следов насилия. Надо бы, наверное, полететь к ней, проститься. Но нет сил вырваться из своей рутины, еще хоть как-то держащей его на плаву. Вообще ни на что нет сил. Даже встать с мокрой скамейки и вернуться домой.

И вдруг он почувствовал на себе чей-то взгляд. Открыл глаза. Перед ним сидела собака. Обычная такая лохматая дворняжка.

— Привет, ты откуда? — спросил он.

Собака тихонько заскулила.

— Ты чья? Потерялась, что ли? Есть хочешь?

Он машинально сунул руку в карман ветровки и — о, радость! — нащупал там маленькую пачку любимых вафель.

— Будешь? — Он распечатал пачку, разломил одну вафлю и протянул собаке половинку. Та деликатно взяла угощение и лизнула его руку. Он скормил собаке все три вафли. — Извини, больше ничего нет, чем богаты... А ты славная псинка...

Он погладил ее и тут заметил ошейник, а на ошейнике металлическую нашлепку с какой-то надписью. В свете недалеко стоящего фонаря он прочитал ее.

— Э, да ты, оказывается, барышня, Джина, и телефон тут есть, и адрес. Не волнуйся, девочка, найдем мы твоих хозяев. Они предусмотрительные люди и явно любят тебя. И не зря, ты такая милая...

Он вытащил из кармана телефон. Набрал номер. «Телефон абонента выключен или находится вне зоны действия сети».

— Ну, Джина, что будем делать?

Джина жила на Сретенке, в Последнем переулке. Я не дойду. Да и вламываться в такое время к незнакомым людям не стоит.

Собака вдруг вскочила на скамейку, покрутилась и улеглась, положив лохматую голову ему на колени.

— Милая моя, — растрогался он.

Джина тихонько заскулила.

— Ну вот что, подруга, пойдем-ка ко мне. Сегодня суббота, часов до десяти перекантуешься у меня, и мы еще позвоним твоим хозяевам. Или, на худой конец, съездим. Пошли?

Собака подняла голову, потом спрыгнула со скамьи, с готовностью глядя на него. Умная, зараза, подумал он и встал. Взял ее за ошейник и медленно пошел в сторону дома. Перейдя улицу, он отпустил собаку. Она, как приклеенная, шла рядом, время от времени тыкаясь мокрым носом ему в ладонь. Ох, до чего же милая псина... По дороге он что-то говорил, словно утешал и уговаривал ее.

Дома он зажег свет и ахнул. У лохматой серо-пегой дворняжки были голубые глаза.

— Джина, красавица, да у тебя в жилах течет кровь благородных хаски! Ну-с, поглядим, чем тебя можно покормить? Чем вообще кормят собак, понятия не имею, а трех вафелек явно мало. — И тут он вспомнил, что в детстве соседка кормила свою собаку овсяной кашей. Соседку звали тетя Люда, а ее пса Цыган. Он был весь черный...

В шкафу обнаружилась непочатая коробка с пакетиками сладкой овсянки быстрого приготовления. Отлично! Он высыпал все десять пакетиков в миску, залил кипятком и выставил на балкон, остывать. А пока сунул собаке сушку. Та с удовольствием ее сгрызла.

— Любишь сушки, красавица? Да? А это собакам не вредно? Нет, говоришь? Ну, вот, возьми еще!

Вскоре каша остыла и Джина с упоением вылизала миску. Потом попила воды и куда-то отправилась, видимо, осматривать квартиру. Он вымыл миску и убрал в шкаф. Вряд ли она еще понадобится. Захотелось спать. Он зашел в спальню и увидел, что Джина спит на коврике у кровати. Надо же... Он тихонько лег и мгновенно уснул.

...Утром он первым делом позвонил хозяевам Джины. Абонент по-прежнему был недоступен. Дрыхнут, что ли, по случаю выходного дня? Ничего, я вас разбужу! Он оделся, съел йогурт и позвал Джину, которая, казалось, спала беспробудным сном.

— Ну что, красавица, поехали домой, а? Позвоним в дверь, а если понадобится, будем колотить в нее, пока они не проснутся, эти ублюдки...

Он был очень сердит, надо же, пропала такая чудесная собака, а они спокойно дрыхнут, да еще и телефон выключили.

Он скормил Джине упаковку сыра, взял ее за ошейник и спустился во двор, к машине. Нормальному человеку тут от силы минут пятнадцать ходу, но ему такое расстояние было не под силу. Джина сама запрыгнула на сиденье рядом с водительским и вопросительно взглянула на нового знакомца. Он ей нравился. Добрый и надежный.

— Домой поедешь, красавица!

Он легко нашел нужный дом, с раздражением подумал, что в подъезде, наверное, кодовый замок, но, к счастью, оттуда как раз вышла женщина-почтальон, не обратившая внимания на собаку. Квартира, указанная на ошейнике, находилась на втором этаже. Джина вдруг вырвалась и кинулась наверх, и громко залаяла. Ну, сейчас-то эти гаврики должны проснуться. Слава богу, можно не подниматься, зачем? Тем более в доме нет лифта.

Но все-таки хотелось бы убедиться, что собака попадет домой. Джина все продолжала лаять. Ну что за люди? Я умираю, а они... Надо все же подняться и позвонить в дверь.

В подъезд вошла пожилая женщина с хозяйственной сумкой.

— Ох ты господи, неужто Джинка вернулась? Вот беда-то!

— Почему беда? — спросил он.

Женщина внимательно на него посмотрела.

— Да как же не беда?! Она потерялась, а хозяевам улетать аж в Австралию. И она с ними должна была лететь. Все документы ей выправили... А теперь что ж, улетели они...

— Надолго?

— Да навсегда. У Лидки там тетка померла, наследство большое оставила. А я не могу собаку к себе взять, астма у меня и еще всякие болячки... А это вы ее нашли?

— Я. Но я тоже не могу ее взять...

— Да вы-то почему не можете? Она такая умница, золото, а не собака...

Женщина вдруг осеклась и смерила его испытующим взглядом.

— Э, да вы... Знаете что, пойдемте ко мне.

— Зачем это?

— Надо!

— Кому надо?

— Вам!

Она говорила таким непререкаемым тоном, что он невольно подчинился. Не было сил противиться.

Они поднялись на второй этаж. Обоим это далось нелегко.

Джина с несчастным видом сидела на коврике перед дверью, за которой осталась вся ее прежняя жизнь.

— Заходи, милый, — пригласила женщина, — идем на кухню. Садись. И рассказывай.

— Что?

— Все.

— Ну, я ночью вышел на Самотечный бульвар, а там Джина. Я позвонил, мне не ответили, я взял ее к себе, а сейчас вот привез...

— Нет, не это...

— А что же?

— Что с тобой такое творится?

— А что со мной?

— Да плохо с тобой! Такой молодой красивый мужик, а глаза как у покойника. Что за беда у тебя? Ты скажи, может, полегчает.

— Да, вы правильно выразились, со мной плохо, а почему... Я вдруг стал терять силы, думал, заболел, полетел в Германию, прошел там полное обследование, меня заверили, что я абсолютно здоров. А мне с каждым днем все хуже и хуже... Знаете, а вы первый человек, который заметил...

— А у тебя что, матери нет?

— Мать далеко, в Барнауле... И не хочется ее огорчать...

— И жены нет, и девушки?

— Нет, сейчас никого, только сослуживцы...

— Вот как, одинокий ты совсем... Неправильно это... Скажи, милый, а тебя часом никто не проклинал?

— Что?

— Ну, может, баба какая-нибудь тебя прокляла или порчу навела?

— А разве это не отражается на здоровье? А мне сказали, я практически здоров. Но чувствую, что скоро умру. И поскорей бы...

— Нет, милый, ты не умрешь. Ты уже сам себя спас.

— Как это?

— Ты почему ночью на бульвар поперся? Или это у тебя привычка такая?

— Нет. Просто сон страшный приснился, я боялся снова заснуть, вот и пошел... А там Джина...

— Она и есть твое спасение.

— Не понимаю.

— Из-за нее ты сюда пришел, а я по твоим глазам поняла, что тебе ой как плохо... Ты сейчас мне расскажешь все, что с тобой было в последние год-два, потом возьмешь к себе Джину, и все у тебя будет нормально и даже хорошо...

Хитра тетка, подумал он, во что бы то ни стало хочет сбагрить мне собаку. Но, с другой стороны, она единственная, кто заметил, как мне хреново... А я ведь работаю среди людей, и вроде неплохо ко мне на работе относятся... И она такая уютная, эта тетка...

Женщина между тем налила ему крепкого чаю в большущую кружку с Нижегородским кремлем и поставила перед ним тарелку с большущим куском пирога. Он таких пирогов с детства не видел, такие пироги пекла его бабушка — толстое дрожжевое тесто с толстым слоем повидла. У него слюнки потекли.

— Боже, как вкусно! — простонал он с набитым ртом, и сам себе удивился — в последнее время никакая еда не доставляла удовольствия.

— Ешь, милый, ешь, — женщина ласково похлопала его по плечу. — У меня еще много...

Он умял два громадных куска, наслаждаясь не столько даже пирогом, сколько своим наслаждением.

— Ну вот, тебе уже маленько полегче. А теперь рассказывай.

И он стал рассказывать, сам себе удивляясь, о каких-то событиях, которые словно бы стерлись из памяти в силу своей незначительности. И в частности припомнил эпизод, о котором не вспомнил ни разу, как будто его и не было. Он словно воочию увидал свою девушку, на том самом Самотечном бульваре. Она целовалась с другим, целовалась страстно, самозабвенно. Он пошел домой, а когда вечером она явилась, сказал ей все, что думает о ней, добавив, что не желает больше ее видеть. Боже, как она кричала... Потом просила прощения, клялась в вечной любви. А когда поняла, что все это бесполезно, затопала ногами и крикнула уже в дверях:

— Ну и ладно, пропади ты пропадом! И ведь пропадешь, не сомневайся! Сдохнешь от одиночества!

И долго еще сыпала проклятиями, пока он не вытолкал ее за дверь.

Она была так непереносимо вульгарна, что он поблагодарил судьбу за то, что избавился от нее.

— Вот! — перебила его пожилая женщина. — Вот!

— Что вот?

— Это она! Это все из-за нее!

— Да что вы в самом деле! Я про нее и думать забыл через два дня. И не вспоминал ни разу.

— Ты-то, может, и забыл, а вот подкорка твоя не забыла.

— Подкорка?

— Именно.

— А вы кто? Психолог?

— Нет, я бухгалтер. На пенсии, — улыбнулась женщина. — Кстати, меня зовут Ксения Дмитриевна.

— А я Леонид.

— Да? У меня старший сын тоже Леонид. Так вот, Ленечка, все у тебя будет теперь хорошо. Ты только поплачь... Вот придешь домой и поплачь. Обязательно.

— Да я сроду не плакал...

— Когда-то и поплакать не грех.

— Так что же, Ксения Дмитриевна, выходит, эта шалава меня прокляла, а я...

— Да не в ней дело, просто почва была подготовленная. Много плохого скопилось, а душа у тебя больно чувствительная оказалась...

— Да, вероятно, вы правы... — задумчиво проговорил Леонид. — Спасибо вам за все. Пойду я.

— И собаку забери. Тебе она сейчас даже нужнее, чем ты ей.

— Заберу, конечно!

— И знаешь, Леня, ты заходи, если что. Если поговорить по душам захочется... Да, я сейчас тебе Джинкино приданое отдам, хозяева оставили на случай, если вернется...

Она вручила ему объемистый пакет.

— Вот тут поводок, прицепи ее...

Он прицепил поводок к ошейнику, Джина с тревогой на него посмотрела.

— Пойдем домой, собака, будем вместе жить...

Когда они подошли к двери его квартиры, Джина вдруг подпрыгнула и лизнула его в лицо.

— Ах ты, милая! — растрогался он. — Между прочим, тетка сказала, что теперь все будет хорошо... Может, и вправду? Чем черт не шутит! Ох, надо же тебе еды купить, а какой, я не знаю. Погоди, давай-ка поглядим, может, твои хозяева написали, чем тебя кормить.

Он заглянул в пакет. Сверху лежал конверт, а в конверте двести долларов. И записка с указаниями, как, чем и когда кормить собаку.

— Молодцы, все предусмотрели, — усмехнулся он. — А это у нас что? Миски, щетки, это чтобы чесать тебя? А это что за сверток?

В целлофановом пакете лежало что-то, завернутое в бумагу. Он развернул пакет.

Там оказалось несколько кусков пирога с повидлом.

К горлу подступил ком, и слезы сами полились из глаз. Тетка велела плакать, вот я и плачу... И это так сладко — плакать, никого не стесняясь, как плакалось только в раннем детстве, но тогда все вокруг утешали, и мать с отцом, и бабушка, а сейчас эта милая собака скулила и лизала ему лицо... И плач принес облегчение. Он вдруг ощутил страшный голод, схватил кусок пирога, но половину отдал Джине.

— Вкусно, да, красавица?

Собака, он мог бы поклясться, улыбнулась ему.

— Послушай, подруга, а ведь тебе есть нечего, да и мне тоже... Вот что, поехали в магазин... Хотя нет, сначала мы погуляем, да?

Джина взвизгнула и завертелась на месте.

И они отправились на бульвар. Сделали два круга. Какая-то женщина с ньюфаундлендом воскликнула:

— Джиночка, а где же твои хозяева? А вы кто будете?

— Хозяева уехали, а Джина теперь живет у меня, — с гордостью сообщил он.

— Повезло вам, такая умная псина... И характер замечательный...

— О да! Не собака, а чистое золото!

И вдруг он сообразил — а я ведь совсем позабыл, что умираю. И я совершенно не устал от прогулки. Я, кажется, буду жить? Я буду жить! Я и вправду чуть не подох от одиночества, но теперь у меня есть Джина... И эта чудная тетка Ксения Дмитриевна... Что это было? Наваждение...

— Смотри, Джина, какая хорошенькая девушка с французским бульдогом! Просто прелесть...